# On y va! 1

## Cahier

Debbie Anderson

Patrice Chemeris

Karen Edgar

Diane Masschaele

Michael Salvatori

Une rubrique de Pearson Education Canada

Don Mills, Ontario / Reading, Massachusetts
Harlow, Angleterre / Glenview, Illinois / Melbourne, Australie

**On y va! 1**

**Directrice du département de français langue seconde :** Hélène Goulet
**Directrice de la rédaction :** Anita Reynolds MacArthur
**Directrice du marketing :** Audrey Wearn
**Chargés de projet :** Andria Long; Maria Christopoulos, Nancy Fornasiero, Jonathan Furze, Elaine Gareau, Lena Gould, Kendra McKnight
**Production / Rédaction :** Tanjah Karvonen; Nadia Chapin, Louise Cliche, Marie Cliche, Léa Grahovac, Micheline Karvonen
**Révisions linguistiques :** Christiane Roguet et Édouard Beniak, Pauline Cyr
**Coordonnatrice :** Helen Luxton
**Conception graphique :** Jennifer Federico
**Couverture :** Dave Cutler/SIS
**Illustrations :** Tina Holdcroft, Dave Whamond
**Photographie :** Ray Boudreau
**Recherche photographique :** Paulee Kestin
**Programme audio :** Lorne Green, Producers' Choice Studio, Claude Michel, Louise Naubert
**Chansons :** Étienne, Educorock Productions Inc.
**Conception du site Web :** Laura Canning

Nous tenons à remercier tout particulièrement les enseignants, enseignantes, conseillers et conseillères pédagogiques et les élèves des classes expérimentales pour leurs précieuses contributions à ce projet.



ISBN 0-201-69787-4



Imprimé au Canada
Ce livre est imprimé sur du papier sans acide.

1 2 3 4 5 6 WC 06 05 04 03 02 01

Un merci tout spécial à l'Institut national canadien pour les aveugles, La société canadienne de l'ouïe, Vincent Quinn, Ann Shigeishi et Michelle Vandervecht de *Prosthetics/Orthotics (Barrie)*, Céline Lacroix, Pauline Léonard et John Fluevog Shoes.

Source *Cahier* p. 141 : *Le grand livre des jeux drôles et intelligents*, Delaunois et Allard, © 1997 éditions Héritage

Les éditeurs ont tenté de retracer les propriétaires des droits de tout le matériel dont ils se sont servis. Ils accepteront avec plaisir toute information qui leur permettra de corriger les erreurs de références ou d'attribution.

# Table des matières

# Mon vocabulaire de base

**Note le vocabulaire important de cette unité.**

**1.** Pour parler de l'espace...

une galaxie

**2.** Pour parler des jeux vidéo...

une galerie de jeux

**3.** Des adjectifs possessifs

mon

**4.** Des adverbes

peu

**5.** Et aussi...

# Galaxie virtuelle

**A Écoute les phrases et encercle les mots que tu entends.**

**EXEMPLE :** dans l'espace dans la galaxie (dans le ciel)

| | | |
|---|---|---|
| **1.** des explorations intéressantes | des explorations spatiales | des expéditions |
| **2.** le système solaire | le système spatial | le système électronique |
| **3.** système scolaire | système solaire | crème solaire |
| **4.** des astronautes | des astrologues | des aviateurs |
| **5.** une navette spatiale | une fusée | un satellite |
| **6.** Oh là là! | On y va! | Ne va pas là! |
| **7.** des simulations | des mutations | des actions |
| **8.** des jeux télévisés | des jeux vidéo | des jeux électroniques |
| **9.** une galerie de jeux | un centre d'achats | un club vidéo |
| **10.** réalité spatiale | réalité imaginaire | réalité virtuelle |

**B Trouve les mots en caractères gras. Avec les lettres qui restent, trouve le mot caché.**

| | |
|---|---|
| l'**astre** | la **lune** |
| l'**astronaute** | la **mission** |
| le **ciel** | la **navette** |
| l'**espace** | la **nuit** |
| la **fusée** | l'**orbite** |
| la **galaxie** | la **planète** |
| la **galerie** | **super** |
| les **jeux** | la **Terre** |
| **long** | la **vidéo** |

| | | | | | | | | | | | | | |
|---|---|---|---|---|---|---|---|---|---|---|---|---|---|
| M | I | S | S | I | O | N | G | A | L | A | X | I | E |
| E | A | S | T | R | O | N | A | U | T | E | X | P | S |
| A | S | T | R | E | R | P | L | A | N | E | T | E | P |
| S | U | P | E | R | B | L | E | F | U | S | E | E | A |
| O | L | U | N | E | I | R | R | V | I | D | E | O | C |
| N | A | V | E | T | T | E | I | E | T | E | R | R | E |
| R | C | I | E | L | E | J | E | U | X | L | O | N | G |

Le mot caché est : __ __ __ __ __ __ __ __

→ LIVRE p. 8

# Disparition à la galerie de jeux...

COMPRENDS-TU?

**A** **Relis le texte *Disparition à la galerie de jeux...* Lis les phrases suivantes. Coche *vrai* ou *faux*.**

| | vrai | faux |
|---|---|---|
| **1.** Paul et Kim n'aiment pas les jeux vidéo. | ☐ | ☐ |
| **2.** Paul rêve d'aller sur la lune. | ☐ | ☐ |
| **3.** Kim doit mettre sa ceinture de sécurité. | ☐ | ☐ |
| **4.** Paul voyage vers des planètes chaudes. | ☐ | ☐ |
| **5.** Paul cherche le bouton pour baisser l'écran de protection. | ☐ | ☐ |

**B** **Relis le texte encore une fois. Réponds aux questions en phrases complètes.**

**1.** Pourquoi est-ce que Paul aime aller à la galerie de jeux?

___

**2.** Quelle mission est-ce que Paul rêve de faire?

___

**3.** Quels jeux est-ce que Paul et Kim trouvent?

___

**4.** Où est-ce que Kim est en orbite?

___

**5.** Qu'est-ce qui est dans le champ visuel de Kim?

___

**6.** Où est-ce que Paul est en orbite?

___

**7.** Qu'est-ce que Paul veut baisser?

___

**8.** Qui a disparu?

___

**9.** Quel est ton jeu vidéo préféré?

___

**10.** Où est-ce que tu aimes jouer aux jeux vidéo?

___

→ LIVRE p. 11

# Comprends-tu les mots?

**A** **Trouve le mot qui ne va pas. Écris ce mot sur la ligne. Utilise le lexique ou un dictionnaire si c'est nécessaire.**

**Exemple :** un jeu vidéo, un jeu électronique, un jeu virtuel, une planète ___une planète___

1. la sonde spatiale, le satellite, la galerie de jeux, une fusée ____________
2. les commandes, le tableau de bord, le bouton, la Terre ____________
3. Paul, Kim, des amis, le système solaire ____________
4. sauver, voyager, une galaxie, regarder ____________
5. une mission, chouette, super, parfait ____________

**B** **Trouve la définition dans la colonne B qui va avec chaque mot dans la colonne A. Récris les phrases. Utilise le lexique ou un dictionnaire si c'est nécessaire.**

| COLONNE A | COLONNE B |
|---|---|
| ☐ **1.** Une sonde spatiale | **a)** est une mission dans l'espace. |
| ☐ **2.** Les commandes | **b)** est la route circulaire d'un satellite ou d'une étoile autour d'une planète. |
| ☐ **3.** Une mission spatiale | **c)** est une machine, sans astronautes, pour étudier l'espace, les planètes et les étoiles. |
| ☐ **4.** L'orbite | **d)** est l'espace que tu vois avec tes yeux. |
| ☐ **5.** Le champ visuel | **e)** aident à diriger une navette ou un vaisseau. |

1. ____________________________________________
2. ____________________________________________
3. ____________________________________________
4. ____________________________________________
5. ____________________________________________

**C** **Lis les définitions de la Partie B à voix haute avec ton ou ta partenaire.**

→ LIVRE p. 12

# Adjectifs possessifs et adverbes

**A** **Trouve le genre et le nombre de chaque mot. Utilise le lexique dans ton livre. Écris le bon article ou le bon adjectif possessif.**

**Voici la règle!**
- Si le nom est masculin singulier (n.m.), utilise un article (*le* ou *un*) ou un adjectif possessif (*mon, ton* ou *son*) avant le nom.
- Si le nom est féminin singulier (n.f.), utilise un article (*la* ou *une*) ou un adjectif possessif (*ma, ta* ou *sa*) avant le nom.
- Si le nom est au pluriel (n.pl.), utilise un article (*les* ou *des*) ou un adjectif possessif (*mes, tes* ou *ses*) avant le nom.

**Exemples :** écran (n.m.) un sa ses un écran
informations (n.f.pl.) une sa ses ses informations

| | | | | | |
|---|---|---|---|---|---|
| **1.** navette spatiale | (______) | un | une | des | ______________ |
| **2.** mission | (______) | sa | son | ses | ______________ |
| **3.** jeux | (______) | le | la | les | ______________ |
| **4.** planètes | (______) | le | la | les | ______________ |
| **5.** ceinture de sécurité | (______) | son | sa | ses | ______________ |
| **6.** voyage | (______) | ton | ta | tes | ______________ |
| **7.** tableau de bord | (______) | mon | ma | mes | ______________ |
| **8.** satellites | (______) | un | une | des | ______________ |
| **9.** télévision | (______) | ton | ta | tes | ______________ |
| **10.** Terre | (______) | le | la | les | ______________ |

→ LIVRE p. 12

**B** **Donne ton opinion. Utilise les adverbes *peu, assez, beaucoup* et *trop*.**

**1.** Il y a ______________ de jeux vidéo à la galerie de jeux.

**2.** Nous n'avons pas ______________ de devoirs.

**3.** Je trouve ______________ d'information sur ce site Web.

**4.** Tu as mal aux jambes ? Tu fais ______________ de gymnastique.

**5.** Est-ce que vous aimez ______________ le chocolat?

→ LIVRE p. 12

# Idées et activités

**A** **Écoute les phrases. Indique la fonction de la deuxième partie de la phrase. Coche la bonne case.**

| | ***et*** ↓ ***de l'information supplémentaire*** | ***mais*** ↓ ***une restriction*** | ***parce que / parce qu'*** ↓ ***une raison*** |
|---|---|---|---|
| **1.** | ☐ | ☐ | ☐ |
| **2.** | ☐ | ☐ | ☐ |
| **3.** | ☐ | ☐ | ☐ |
| **4.** | ☐ | ☐ | ☐ |
| **5.** | ☐ | ☐ | ☐ |

**B** **Complète les phrases avec *et, mais, parce que* ou *parce qu'*.**

**1.** Je veux être astronaute _______________ je ne suis pas bon en sciences.

**2.** Kim va à la galerie de jeux _______________ elle choisit une mission spatiale.

**3.** Paul et Jean-Jacques vont au concert _______________ ils aiment beaucoup ce groupe.

**4.** Après l'école, je fais mes devoirs _______________ je joue aux jeux vidéo.

**5.** Je ne vais pas au cinéma aujourd'hui _______________ je n'ai pas d'argent.

**6.** Simon aime le baseball _______________ il préfère le hockey.

**7.** Sonia et Natalie étudient _______________ elles ont un test demain.

**8.** Après l'école, Marina et Xavier font leurs devoirs _______________ jouent du piano.

**9.** Je veux t'aider _______________ je n'ai pas le temps!

**10.** Pour devenir astronaute, tu dois être bon en sciences _______________ avoir beaucoup d'intérêts.

**C** **Lis les phrases de la Partie B à voix haute avec un ou une partenaire.**

→ **LIVRE** p. 12

# Donne des instructions!

**A Complète les phrases suivantes avec la bonne forme de l'impératif.**

**Exemple :** Si tu veux devenir astronaute, travaille fort! (travaille / travaillons / travaillez)

1. Avant ton grand voyage dans l'espace, ______________ bien l'astronomie! (étudie / étudions / étudiez)
2. La professeure dit à ses élèves : «______________ bien vos dialogues avant la présentation!» (Révise / Révisons / Révisez)
3. «Prenez vos crayons et ______________ sur une grande feuille de papier.» (dessine / dessinons / dessinez)
4. Si nous voulons comprendre, ______________ bien! (écoute / écoutons / écoutez)
5. ______________ bien la porte derrière toi, s'il te plaît! (Ferme / Fermons / Fermez)
6. Quand tu vois Mars et Jupiter, ______________ à droite en direction de Saturne! (tourne / tournons / tournez)
7. Avant de travailler pour l'agence spatiale canadienne, ______________ vos études. (termine / terminons / terminez)
8. ______________ si vous voulez être pilote de navette ou faire des recherches dans l'espace. (Décide / Décidons / Décidez)
9. Nous sommes à la galerie de jeux. ______________! (Joue / Jouons / Jouez)
10. ______________ ton jeu vidéo, c'est l'heure de manger! (Arrête / Arrêtons / Arrêtez)

**B Donne des instructions à un ou une partenaire, à voix haute.**

Exemple : Entre (Entrer) dans la galerie de jeux.

Pour jouer à ce jeu vidéo, ______________ (écouter) les instructions. ______________ (Regarder) le tableau de bord. ______________ (Décider) quelle mission tu choisis. Dans le cas d'une attaque, ______________ (baisser) l'écran de protection et ______________ (lancer) des coups de laser.

→ LIVRE p. 12

# Voyage dans l'espace

**Écoute bien. Récris les phrases avec la bonne forme du verbe au présent.**

**1.** Kim (préférer) jouer aux jeux vidéo plutôt que d'aller au cinéma.

**2.** Kim n'(aider) pas Paul à trouver le bouton pour baisser l'écran.

**3.** Les astronautes (voyager) toujours en groupe.

**4.** Vous (choisir) la mission la plus difficile.

**5.** Pendant son voyage dans l'espace, Julie Payette ne (rencontrer) pas d'extraterrestres!

**6.** À quoi est-ce que tu (penser), Kim?

**7.** Les deux jeunes (aimer) beaucoup aller à la galerie de jeux.

**8.** Marc Garneau (regarder) la Terre quand il est en orbite.

**9.** Dans ta navette spatiale, tu (explorer) les neuf planètes.

**10.** Nous (finir) la mission spatiale du jeu vidéo *Galaxie virtuelle.*

**11.** Kim ne (parler) pas à Paul.

**12.** Est-ce que c'est vrai que tu (adorer) regarder les étoiles avec ton télescope?

**13.** Depuis une semaine, nous (remarquer) que la Lune brille moins que d'habitude.

**14.** Avant de commencer leur voyage, les astronautes (réfléchir) à leur mission.

**15.** Nous (vérifier) l'heure du départ de la navette spatiale.

→ LIVRE p. 12

# Quoi faire?

**Écoute bien. Complète les phrases suivantes avec le verbe *avoir, être, aller* ou *faire* au présent.**

1. Nous ______________ des astronautes à la recherche de nouvelles planètes.
2. Léa et Marie-Claude n'______________ pas le temps de jouer au jeu vidéo parce qu'elles ______________ leurs devoirs.
3. Vous ______________ à l'école pour étudier et vous ______________ du sport pour vous amuser. Vous ______________ très occupés!
4. J'______________ une grande sœur et un petit frère. Sophia ____________ 15 ans et Sylvain ____________ 7 ans.
5. Je ____________ un extraterrestre et je ______________ voyager vers la Terre. Je ______________ content!
6. On ______________ à la piscine et ensuite, Bob et moi, nous ______________ au cinéma.
7. Il ______________ beau aujourd'hui, alors nous ______________ du sport dehors.
8. Les astronautes ______________ dans la navette spatiale et ils ______________ des recherches.
9. Tu ______________ très fort en judo et Sylvain ______________ bon en karaté. Vous ______________ des compétitions tout le temps au gymnase.
10. Pendant la fin de semaine, tu ______________ du vélo et tu ______________ au centre sportif.
11. Cette semaine, je ne ______________ pas à l'école parce que je ____________ malade.
12. Tu n'______________ pas assez vieux! Julie Payette ________________ une jeune astronaute et elle ______________ presque 40 ans!
13. Tu ______________ tes devoirs parce que tu ______________ jouer avec tes amis ce soir.
14. Nous ________________ à la galerie de jeux. Paul et Kim ______________ là.
15. Vous ________________ chez vos amis après le concert? Vous ____________ chanceux!

# Activités préférées

**A Qu'est-ce que tu aimes faire avec tes ami(e)s? Utilise les mots utiles pour faire ta présentation. N'oublie pas de conjuguer les verbes correctement!**

Bonjour! Je m'appelle ______________. J' ________ ________ ans. Je __________ un garçon /
(nom) (âge)

une fille. J'ai les cheveux __________ et les yeux __________. Je __________ à l'école

______________. Pendant mes moments de loisir, je __________ ______________________.
(nom)

Mes amis __________________, __________________ et moi, nous ______________
(nom) (nom)

________________. Après l'école, quand nous ______________ ensemble, nous

______________ ______________________. En fin de semaine, quand il fait beau,

je ____________ ________________. Quand il fait mauvais, je ______________

________________. Ce que j'aime le plus, c'est __________________

______________________. J'__________ beaucoup de loisirs! Et vous, qu'est-ce que vous

__________ pour vous amuser?

**MOTS UTILES**

aller
avoir
être
faire
jouer

bleus
blonds
bruns
noirs
noisette
roux
verts

à la bibliothèque
au centre commercial
au centre communautaire
au centre des sciences
au centre sportif
au cinéma
à la galerie de jeux
à la piscine
chez des amis
chez mes grands-parents

du dessin
de la gymnastique
au hockey
aux jeux vidéo
de la lecture
du magasinage
du patin
du piano
du ski
au soccer
du théâtre
du vélo

**B Présente ton texte de la Partie A au groupe.**

→ LIVRE p. 13

# Mon auto-évaluation

**A Maintenant, je réussis à...**

| | avec difficulté | avec peu de difficulté | assez bien | très bien |
|---|---|---|---|---|
| parler de mes activités préférées et de jeux vidéo. | ☐ | ☐ | ☐ | ☐ |
| imaginer et à écrire la fin d'une histoire. | ☐ | ☐ | ☐ | ☐ |
| utiliser un dictionnaire pour bien comprendre un texte. | ☐ | ☐ | ☐ | ☐ |
| utiliser des adjectifs possessifs. | ☐ | ☐ | ☐ | ☐ |
| utiliser des adverbes. | ☐ | ☐ | ☐ | ☐ |
| utiliser des conjonctions. | ☐ | ☐ | ☐ | ☐ |
| utiliser l'impératif. | ☐ | ☐ | ☐ | ☐ |
| conjuguer des verbes réguliers en *–er* et *–ir* au présent. | ☐ | ☐ | ☐ | ☐ |
| conjuguer des verbes irréguliers comme *avoir*, *être*, *aller* et *faire* au présent. | ☐ | ☐ | ☐ | ☐ |
| créer et à présenter une bande dessinée qui représente la fin d'une histoire. | ☐ | ☐ | ☐ | ☐ |

**B**

**1. Dans cette unité, j'ai beaucoup aimé...**

___

___

**2. Dans cette unité, je n'ai pas aimé...**

___

___

# Mon vocabulaire de base

**Note le vocabulaire important de cette unité.**

**1. Le rythme...**

**à l'école**

un ballon de basket-ball

**dans la maison**

un réveille-matin

**de la musique**

un tambour

**dans la nature**

une grenouille

**dans la rue**

un camion

**2. Et aussi...**

# Les sons et les bruits

**A** **Écoute bien. Écris le numéro de la description et du son à côté du bon dessin.**

**B** **Écris le nom de l'objet en-dessous de chaque dessin à l'aide des mots utiles.**

**MOTS UTILES**

| | | | | |
|---|---|---|---|---|
| le vent | la pluie | des freins | un klaxon | des cymbales |
| un verre | un robinet | des casiers | un tambourin | la cloche |

→ LIVRE p. 18

# Une routine rythmée

1. Est-ce que Simon joue d'un instrument de musique?

   ______________________________________________.

2. Qu'est-ce que Simon fait?

   ______________________________________________.

3. Quel est le nom du groupe que Nadine aime?

   ______________________________________________.

4. Qu'est-ce que Nadine dit à Simon de faire avec les couvercles de poubelles?

   ______________________________________________.

5. Qu'est-ce que Simon dit à Nadine de faire avec la poubelle?

   ______________________________________________.

6. Qu'est-ce que Simon fait avec une cuillère?

   ______________________________________________.

7. Quelles sortes de sons est-ce que Nadine fait avec ses mains dans l'eau?

   ______________________________________________.

8. Qu'est-ce que Nadine frappe l'une contre l'autre?

   ______________________________________________.

9. Quel type de son est-ce qu'on peut faire quand on fait la vaisselle?

   ______________________________________________.

10. À quelles autres activités est-ce qu'on peut ajouter du rythme?

   ______________________________________________

   ______________________________________________.

→ **LIVRE** p. 20

# Des verbes rythmés

**A** **Écris les verbes qui manquent pour former l'impératif. Attention! Pour les verbes en *–er*, enlève le *s* final de la forme *tu*.**

| | | | | |
|---|---|---|---|---|
| **1.** | écouter | | | écoutez |
| **2.** | taper | | tapons | |
| **3.** | créer | crée | | |
| **4.** | frapper | frappe | | |
| **5.** | finir | | | finissez |
| **6.** | choisir | | choisissons | |
| **7.** | remplir | remplis | | |
| **8.** | répondre | réponds | | |
| **9.** | attendre | | | attendez |
| **10.** | perdre | | perdons | |

**B** **Choisis le bon verbe à l'impératif dans la liste pour compléter les phrases suivantes.**

**Exemple :** Marche dans la classe.

**1.** ________________ de la musique!

**2.** ________________ un rythme!

**3.** ________________ un nom pour ton groupe de musique.

**4.** ________________ sur le pupitre avec ton crayon!

**5.** Ne ________________ pas le verre!

**6.** ________________ des mains.

**7.** ________________ aux questions du professeur.

**8.** ________________ tes devoirs avant de jouer de la musique.

**9.** Ne ________________ pas le rythme de ta chanson.

**10.** Maintenant, ________________ à ton professeur.

casse
Choisis
Crée
Écoute
perds
Finis
Frappe
Réponds
parle
Tape

# Simon et Nadine

**Écoute les phrases. Quelle forme de l'impératif est-ce que Simon et Nadine utilisent? Encercle la bonne forme.**

1. (Remplis / Remplissons / Remplissez) les verres d'eau.
2. (Frappe / Frappons / Frappez) la cuillère contre le verre.
3. (Prépare / Préparons / Préparez) un concert avec des objets ordinaires.
4. (Choisis / Choisissons / Choisissez) un rythme pour la chanson.
5. (Marche / Marchons / Marchez) pour créer un rythme.
6. (Attends / Attendons / Attendez) deux secondes entre chaque battement de tambour.
7. (Réponds / Répondons / Répondez) aux questions de la classe.
8. (Bouge / Bougeons / Bougez) au rythme de la musique.
9. (Écoute / Écoutons / Écoutez) ma chanson au rythme reggae.
10. (Attache / Attachons / Attachez) les couvercles à vos pieds.

# Les icônes

**Dans ce cahier, il y a cinq icônes différentes. Écris le verbe à l'infinitif qui va avec chaque icône.**

**Exemple :**  Écrivons!

1.  ________________

4.  ________________

2.  ________________

5. 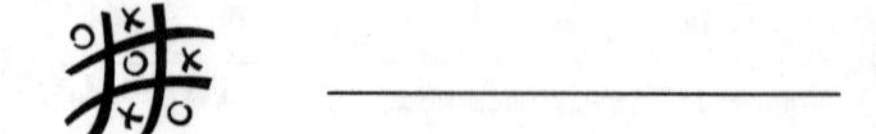 ________________

3.  ________________

# Les billets de concert

**A Écoute bien. Écris les verbes que tu entends.**

C'est la fin de semaine. Mon amie et moi, nous allons assister à un concert. J'explique à mon amie comment réserver des billets par téléphone.

______________ le téléphone. ______________ le numéro 1 800. ______________ le prix des billets. ______________ le nombre de billets désirés. ______________ les meilleures places. ______________ à toutes les questions de l'agent. ______________ le numéro de la carte de crédit. ______________ le numéro de confirmation. ______________ l'agent.

______________ le téléphone. Le concert a lieu demain soir. J'ai hâte!

**MOTS UTILES**

Bouge
Choisis
Compose
Casse
Décroche
Demande
Note
Donne
Indique
Joue
Raccroche
Remercie
Réponds

**B Tes amis vont réserver des billets pour un match de hockey. Sur une feuille de papier, écris les étapes à suivre. Utilise le paragraphe de la Partie A comme modèle. Ensuite, avec un ou une partenaire, lisez les étapes à voix haute.**

# À l'impératif

**A Nadine donne des conseils à Simon. Complète la phrase avec le verbe entre parenthèses.**

**Exemple :** (jouer) ___Joue___ du xylophone.

1. (attacher) ______________ des maracas à tes pieds.
2. (agiter) ___________ la boîte de billes.
3. (compter) ___________ jusqu'à cinq entre chaque coup de cymbales.
4. (remplir) ____________ trois bouteilles d'eau.
5. (attendre) ___________ tes amis avant de commencer la répétition.

**B Nadine et ses amis proposent des idées pour fabriquer des instruments à percussion. Complète la phrase avec le verbe entre parenthèses.**

**Exemple :** (créer) ___Créons___ un instrument original!

1. (frapper) _______________ la cuillère contre la casserole.
2. (choisir) __________________ des objets dans la cuisine.
3. (imiter) ______________ le son d'un tambour sur la poubelle.
4. (taper) _____________ le rythme sur la poêle.
5. (attacher) ______________ les cuillères ensemble avec du ruban gommé.

**C Simon présente son instrument à percussion à la classe. Complète la phrase avec le verbe entre parenthèses.**

**Exemple :** (examiner) ___Examinez___ les objets dans la cuisine.

1. (choisir) ____________________ un contenant en plastique vide.
2. (remplir) ____________________ le contenant avec une tasse de riz.
3. (fermer) ____________________ le contenant avec le couvercle.
4. (décorer) ____________________ l'extérieur du contenant.
5. (agiter) ____________________ le contenant pour créer un rythme.

→ LIVRE p. 23

# Ma toile de vocabulaire

**Choisis un thème (l'école, la maison, la musique, la nature ou la rue). Écris le thème au centre de la toile. Dans les rectangles, écris des verbes associés au thème. Ensuite, écris des noms associés aux verbes dans les ovales.**

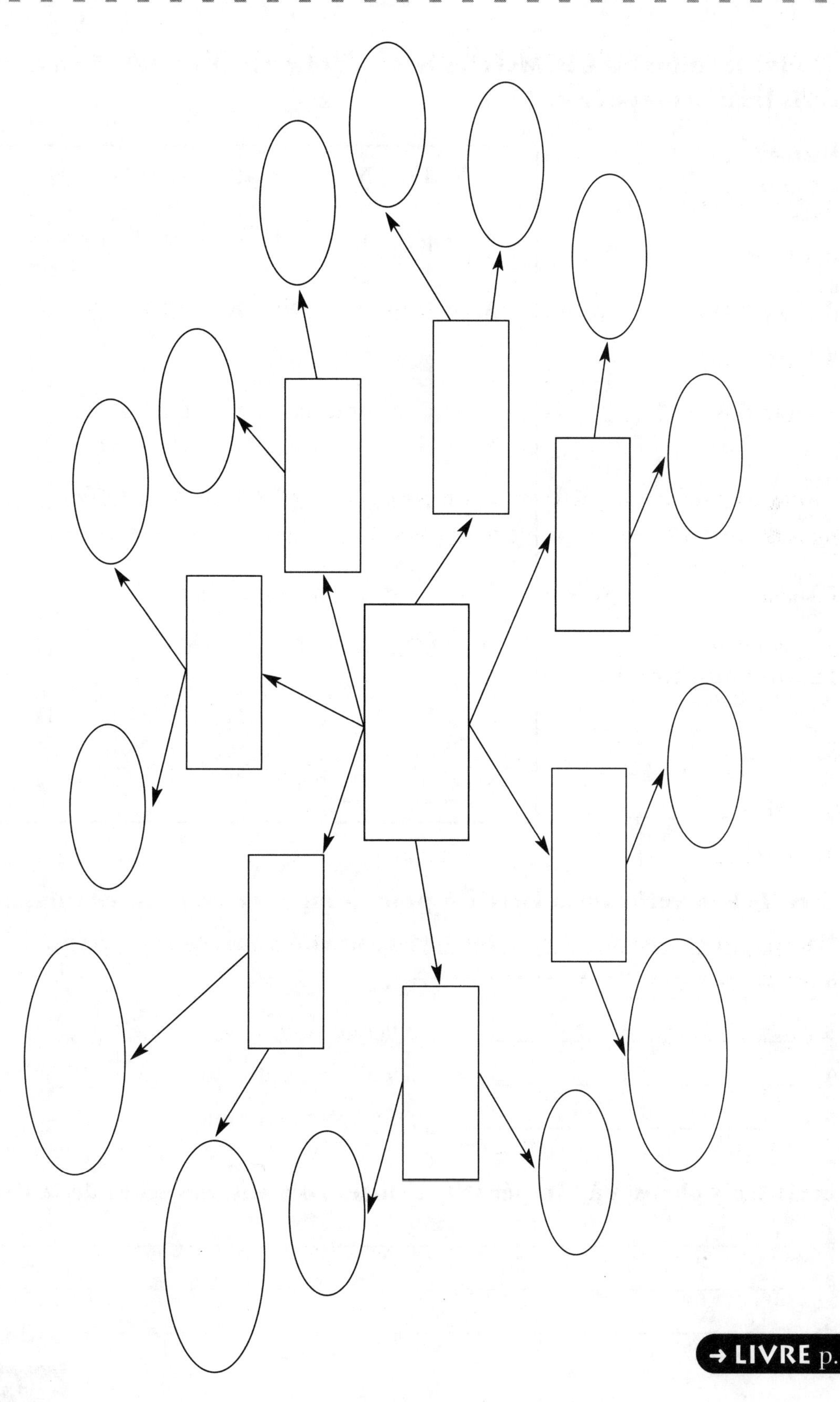

→ LIVRE p. 23

# Mots cachés

**A Trouve les mots cachés. Mets les lettres qui restent de gauche à droite et écris les mots-mystères.**

attache
attends
casse
crée
écoute
finissons
frappe
joue
marche
perds
réponds
répondez
tape
touche
vends

| | | | | | | | | | |
|---|---|---|---|---|---|---|---|---|---|
| F | I | N | I | S | S | O | N | S | J |
| R | R | E | P | O | N | D | E | Z | C |
| A | O | U | O | N | C | E | S | R | R |
| P | C | A | T | T | A | C | H | E | E |
| P | H | A | A | T | S | O | N | P | E |
| E | T | O | P | O | S | U | V | O | P |
| J | O | U | E | U | E | T | E | N | E |
| N | M | A | R | C | H | E | N | D | R |
| S | D | A | N | H | S | O | D | S | D |
| N | A | T | T | E | N | D | S | S | S |

**Les mots-mystères :**

____________________

____________________

____________________

**B Écris le bon verbe de la Partie A pour compléter les phrases suivantes.**

**1.** ____________________ les couvercles à tes pieds.

**2.** ____________________ la vaisselle.

**3.** ____________________ à la question.

**4.** ____________________ la cuillère contre un verre.

**5.** ____________________ pour créer le rythme.

**C Écris trois phrases à l'impératif. Utilise trois autres verbes de la liste.**

**1.** ________________________________________

**2.** ________________________________________

**3.** ________________________________________

→ LIVRE p. 24

# Le rythme autour de nous

COMPRENDS-TU?

**1.** Quand tu entends un bon rythme, qu'est-ce que tu veux faire?

_______________________________________________.

**2.** Que fait le robinet dans la cuisine?

_______________________________________________.

**3.** Quand tes parents font le ménage, qu'est-ce qu'ils veulent faire?

_______________________________________________.

**4.** Qu'est-ce qui fait du rythme dans ta chambre?

_______________________________________________.

**5.** Qu'est-ce que les branches font pendant une tempête?

_______________________________________________.

**6.** Qu'est-ce qui tombe sur le toit de la maison?

_______________________________________________.

**7.** Quels rythmes est-ce que tu peux écouter dans la rue?

_______________________________________________.

**8.** Où est-ce que les gens marchent? Qu'est-ce que tu entends?

_______________________________________________.

**9.** Nomme deux autres rythmes dans le texte que tu entends dans la vie de tous les jours.

_______________________________________________.

**10.** Quelles sortes de rythmes est-ce que tu préfères? Les rythmes doux? forts? lents? rapides? Donne un exemple de ton rythme préféré.

_______________________________________________.

→ **LIVRE** p. 26

# Vouloir et pouvoir

**A** **Complète les phrases suivantes avec la bonne forme du verbe *vouloir.* Ensuite, écris la phrase à la forme négative.**

**Exemple :**

Tu ___veux___ écouter le concert. ___Tu ne veux pas écouter le concert___.

1. Elles ______________ danser. ________________________________.
2. Vous __________ faire le ménage. ________________________________.
3. Je ____________ frapper des mains. ________________________________.
4. Il __________ réveiller sa sœur. ________________________________.
5. Nous _______________ jouer. ________________________________.

**B** **Complète les phrases suivantes avec la bonne forme du verbe *pouvoir.* Ensuite, écris la phrase à la forme négative.**

**Exemple :**

Je ___peux___ entendre le son des klaxons.

___Je ne peux pas entendre le son des klaxons___.

1. Nous ________________ voir la tempête.

   ________________________________________________.

2. On ____________ entendre le rythme du ballon de basket-ball.

   ________________________________________________.

3. Elles _________________ conduire en ville.

   ________________________________________________.

4. Tu ____________ marquer le rythme avec ton crayon.

   ________________________________________________.

5. Vous ________________ klaxonner.

   ________________________________________________.

 

# Les rythmes sont partout

**A Écoute les descriptions et les sons. Encercle la lettre de l'objet qui correspond au son et à la description.**

**1.** **a)** un sèche-cheveux
**b)** un couteau
**c)** un jeu de basket-ball
la catégorie : ____________________

**2.** **a)** la cafétéria
**b)** les freins
**c)** un marteau
la catégorie : ____________________

**3.** **a)** un robot culinaire
**b)** des freins
**c)** une brosse à dents électrique
la catégorie : ____________________

**4.** **a)** des grenouilles
**b)** un mélangeur
**c)** la vaisselle
la catégorie : ____________________

**5.** **a)** une scie
**b)** une bouilloire
**c)** la pluie
la catégorie : ____________________

**6.** **a)** du papier de verre
**b)** une minuterie
**c)** la sirène d'une ambulance
la catégorie : ____________________

**7.** **a)** des oiseaux
**b)** une balle de tennis
**c)** un klaxon
la catégorie : ____________________

**8.** **a)** du maïs soufflé
**b)** un scanner
**c)** la circulation
la catégorie : ____________________

**9.** **a)** le moteur d'une auto
**b)** un lave-auto
**c)** des casiers
la catégorie : ____________________

**10.** **a)** une cloche qui sonne
**b)** le tonnerre
**c)** un pic-bois
la catégorie : ____________________

**B Identifie la catégorie du son. Utilise les mots utiles.**

### MOTS UTILES

| | | | | |
|---|---|---|---|---|
| la nature | l'atelier | le stade | l'épicerie | le garage |
| la rue | la cuisine | l'école | la salle de bains | la musique |

# Vouloir, c'est pouvoir

**Qu'est-ce que les gens peuvent faire pour réussir dans les activités indiquées?**

**Exemple :**

Tu ___veux___ être en bonne forme? Tu ___peux___ faire de l'exercice tous les jours.

**1.** Je ____________ écouter de la musique? Je ____________ écouter la radio.

**2.** Nous ____________ apprendre une autre langue? Nous ____________ étudier cette langue à l'école secondaire.

**3.** Vous ____________ jouer d'un instrument de musique? Vous ____________ prendre des leçons de musique.

**4.** Il ____________ aller au centre commercial? Il ____________ prendre l'autobus.

**5.** Ils ____________ s'amuser? Ils ____________ jouer à un jeu.

# Un acrostiche

JOUONS!

**Complète un acrostiche pour le verbe *vouloir*. Relie les parties de phrases suivantes.**

Je veux...

**v** endre...
**o** rganiser...
**u** tiliser...
**l** ire...
**o** ffrir...
**i** nventer...
**r** egarder...

**a)** la télévision ce soir.
**b)** un bon livre.
**c)** un nouvel instrument.
**d)** mon ordinateur.
**e)** une danse.
**f)** mes patins à roulettes.
**g)** un cadeau à mon ami.

# Nos instruments

**A Le professeur de musique organise un spectacle d'instruments à percussion. Il pose des questions à ses élèves sur leurs préférences. Écoute la préférence de chaque élève. Inscris le numéro de l'instrument à côté du nom de l'élève.**

| | | | |
|---|---|---|---|
| ____ | **1.** Zora | **a)** | le tambour |
| ____ | **2.** Marie-Claire | **b)** | le xylophone |
| ____ | **3.** Patricio | **c)** | les cloches |
| ____ | **4.** Riccardo | **d)** | le gong |
| ____ | **5.** Mathieu | **e)** | les cuillères |
| ____ | **6.** Mireille | **f)** | le triangle |
| ____ | **7.** Jean-François | **g)** | les cymbales |
| ____ | **8.** Fatin | **h)** | les castagnettes |
| ____ | **9.** Nicolas | **i)** | les maracas |
| ____ | **10.** Jennifer | **j)** | le tambourin |

**B Écoute les conversations. Coche pour indiquer si chaque personne peut ou ne peut pas jouer d'un instrument à percussion.**

| | 1 | 2 | 3 | 4 | 5 | 6 | 7 | 8 | 9 | 10 |
|---|---|---|---|---|---|---|---|---|---|---|
| Je peux jouer d'un instrument à percussion. | __ | __ | __ | __ | __ | __ | __ | __ | __ | __ |
| Je ne peux pas jouer d'un instrument à percussion. | __ | __ | __ | __ | __ | __ | __ | __ | __ | __ |

→ LIVRE p. 29

# À ton tour

## La musique idéale

**A Écoute bien. Remplis les tirets avec les mots qui manquent.**

Tu ________________ écouter de la musique moderne et originale? Eh bien, ________________ le disque compact du nouveau groupe *Courant électrique*. Le disque compact *Court-circuit* ________________ ajouter des rythmes extraordinaires à ta vie!

________________ parmi une grande sélection de chansons. *Courant électrique* ________________ t'offrir de la musique pour toutes les occasions!

Est-ce que tu ________________ mettre tes parents de bonne humeur? Le disque compact *Court-circuit* est le choix idéal. ________________ ce disque quand tu ________________ demander à tes parents de passer le week-end chez des amis.

Est-ce que tu ________________ écouter de la musique quand tu fais le ménage? Le disque compact *Court-circuit* est le choix idéal. Les chansons de *Courant électrique* ________________ te donner de l'énergie pour le travail.

Voici une ________________ fabuleuse que tu ________________ écouter sur le disque compact de *Courant électrique*. Elle s'appelle *Énergie*.

Super, non?

Si tu ________________ acheter le disque compact *Court-circuit*, compose le 555- ________________ (555-SONS). Tu ________________ communiquer avec l'agent de *Courant électrique* aujourd'hui!

**B Lis l'annonce à voix haute avec un ou une partenaire. Attention à l'intonation!**

→ LIVRE p. 29

# Mon auto-évaluation

| **A** **Maintenant, je réussis à...** | **avec difficulté** | **avec peu de difficulté** | **assez bien** | **très bien** |
|---|---|---|---|---|
| parler des formes de rythme dans la vie de tous les jours. | ☐ | ☐ | ☐ | ☐ |
| écrire une chanson et à créer un rythme. | ☐ | ☐ | ☐ | ☐ |
| utiliser l'impératif pour donner des ordres et des suggestions. | ☐ | ☐ | ☐ | ☐ |
| utiliser les verbes irréguliers *vouloir* et *pouvoir.* | ☐ | ☐ | ☐ | ☐ |
| trouver les mots familiers pour comprendre un texte. | ☐ | ☐ | ☐ | ☐ |
| présenter une annonce publicitaire pour faire la promotion d'un disque compact de notre chanson. | ☐ | ☐ | ☐ | ☐ |

**B**

**1. Dans cette unité, j'ai beaucoup aimé...**

______________________________________________

______________________________________________

**2. Dans cette unité, je n'ai pas aimé...**

______________________________________________

______________________________________________

# Mon vocabulaire de base

**Note le vocabulaire important de cette unité.**

**1.** Les adjectifs qualificatifs

méchant(e)(s) ______________________ ______________________

______________________ ______________________

______________________ ______________________

**2.** Les parties du corps

la gorge ______________________ ______________________

______________________ ______________________

**3.** Pour exprimer une obligation (le verbe *devoir*)...

Tu dois te laver les mains. ______________________ ______________________

______________________ ______________________

**4.** Des adjectifs possessifs

notre ______________________ ______________________

______________________ ______________________

**5.** Et aussi...

______________________ ______________________

______________________ ______________________

______________________ ______________________

# Les bons et les méchants

**A** **Écoute bien. Associe chaque description à une illustration de la page 31 du livre. Ensuite, complète les phrases avec le bon mot.**

Le corps humain travaille fort! Il y a de bons et de méchants microbes.

☐ **a)** De méchants microbes causent les caries aux ______________________ .

☐ **b)** Le mucus dans le ______________________, les ______________________ et la ______________________ empêche les méchants microbes d'entrer.

☐ **c)** Les larmes enlèvent les méchants microbes et la poussière de nos ______________________.

☐ **d)** Des milliers de bons microbes dans nos ______________________ aident la digestion.

**MOTS UTILES**

dents gorge intestins nez oreilles yeux

**B** **Trouve les mots en caractères gras. Avec les lettres qui restent, trouve le mot caché.**

les **caries**
le **corps**
la **dent**
la **digestion**
la **gorge**
l'**humain**
les **intestins**
les **larmes**
le **nez**
l'**œil**
les **oreilles**
la **tête**
les **yeux**

| N | N | E | Z | L | I | E | O | I |
|---|---|---|---|---|---|---|---|---|
| O | O | H | U | M | A | I | N | N |
| I | R | G | S | T | E | Y | S | T |
| T | E | O | C | E | R | E | P | E |
| S | I | R | I | T | B | U | R | S |
| E | L | G | O | E | M | X | O | T |
| G | L | E | T | N | E | D | C | I |
| I | E | C | A | R | I | E | S | N |
| D | S | S | E | M | R | A | L | S |

Les _ _ _ _ _ _ _ _

→ LIVRE p. 32

# Bienvenue à la foire des sciences



**A** **Trouve un mot de la même famille dans *Bienvenue à la foire des sciences* aux pages 32 à 34 de ton livre.**

**EXEMPLE :** toxique l'intoxication

**1.** inventer ______________________

**2.** collectionner ______________________

**3.** communiquer ______________________

**4.** préparer ______________________

**5.** un aliment ______________________

**6.** la fabrication ______________________

**7.** boire ______________________

**B** **Réponds aux questions en phrases complètes.**

**1.** Comment s'appelle le projet que les élèves regardent sur l'ordinateur?

______________________________________________

**2.** On attrape un mauvais rhume à cause de quel microbe?

______________________________________________

**3.** Quel aliment peut nous rendre malades s'il contient du bacillus cereus?

______________________________________________

**4.** Quel microbe est utile dans la préparation du chocolat?

______________________________________________

**5.** Est-ce que tu utilises Internet pour faire des recherches? Pourquoi?

______________________________________________

**C** **Relis *Bienvenue à la foire des sciences.* Choisis a), b) ou c) pour compléter chaque phrase.**

**1.** ☐ On utilise le même microbe pour fabriquer...
a) du fromage et du chocolat. b) des articles en plastique et de la bière.
c) du lait et du vin.

**2.** ☐ Les enzymes...
a) sont des microbes. b) sont fabriquées par des microbes. c) aident à la production du yogourt.

**3.** ☐ Un microbe...
a) peut être visible à l'œil nu. b) peut être à la fois bon et méchant.
c) n'est jamais utile.

→ LIVRE p. 34

# Le bon adjectif

**A** **Écoute bien. Choisis le bon adjectif dans les mots utiles pour compléter les phrases suivantes.**

**EXEMPLE :** En hiver, tu dois porter une ___grosse___ écharpe!

1. Amis ou ennemis? Il y a beaucoup de ____________________ microbes.
2. C'est une ____________________ idée, n'est-ce pas?
3. C'est à cause du rhinovirus qu'on peut attraper un ____________________ rhume.
4. C'est vraiment le ____________________ projet de la classe.
5. Je pense que ce projet va gagner le ____________________ Prix de la foire.

**MOTS UTILES**

bonne Grand belles mauvais petits excellent meilleur ✓ grosse

**B** **Écris la phrase avec l'adjectif à la bonne place.**

**EXEMPLE :** Lève-toi et offre ta place à la **dame.** (vieille)

Lève-toi et offre ta place à la vieille dame.

1. Michel fait un **voyage**. (long)

   ____________________________________________

2. Elle a peur d'aller chez son amie à cause de ses deux **chiens**. (féroces)

   ____________________________________________

3. Sonia a fait une **présentation**. (intéressante)

   ____________________________________________

4. Il y a une **personne** qui frappe à la porte. (grande)

   ____________________________________________

5. Le scientifique découvre un **microbe**. (bon)

   ____________________________________________

# Les adjectifs avant le nom

**A** **Mets les phrases suivantes au pluriel. Mets l'adjectif à la bonne place.**

**EXEMPLE :** Il a **un ami**. (bons)
Il a de bons amis.

1. Le garçon a **un t-shirt**. (nouveaux)
_______________
2. Je mange **un repas** au restaurant. (bons)
_______________
3. Elle a **une collection** d'insectes. (grandes)
_______________
4. Il a **un livre** de bandes dessinées. (excellents)
_______________
5. Tu achètes **une bouteille** de médicaments. (petites)
_______________

**B** **Mets les phrases suivantes au singulier. Mets l'adjectif à la bonne place.**

**EXEMPLE :** L'élève achète **des jeans.** (nouveau)
L'élève achète un nouveau jean.

1. Ce livre explique **les découvertes** scientifiques. (grande)
_______________
2. Il a **des idées**. (bonne)
_______________
3. Nous regardons **des photos** dans l'album. (belle)
_______________
4. On peut attraper une maladie à cause **des microbes**. (méchant)
_______________
5. Les élèves écoutent **les professeurs**. (jeune)
_______________

→ **LIVRE** p. 37

# Microbes : bons ou méchants?

**A** **Regarde les huit dessins. Écoute chaque phrase, puis écris dans la première case le numéro de la phrase qui correspond au dessin.**

**B** **Écoute encore chaque phrase. Quels microbes sont bons? Quels microbes sont méchants? Coche la bonne case.**

| | **Nom du microbe** | | **Bon** | **Méchant** |
|---|---|---|---|---|
| **a)** | lactobacille | 1 | ☐ | ☐ |
| **b)** | salmonelle | ☐ | ☐ | ☐ |
| **c)** | acidophillus | ☐ | ☐ | ☐ |
| **d)** | rhinovirus | ☐ | ☐ | ☐ |
| **e)** | staphylocoque | ☐ | ☐ | ☐ |
| **f)** | baculovirus | ☐ | ☐ | ☐ |
| **g)** | méthanotrophe | ☐ | ☐ | ☐ |
| **h)** | streptocoque | ☐ | ☐ | ☐ |

→ LIVRE p. 37

# Les cartes info-microbes

**Complète ces cartes avec l'information qui est dans ton livre.**
**Écris des phrases complètes. Utilise au moins deux adjectifs pour chaque carte.**

**Nom :** rhinovirus

**Domicile :** J'habite dans l'air. On me trouve aussi sur les mains et le visage des gens.

**Fonction :** Je peux vous donner un mauvais rhume.

**Ami, ennemi, les deux?**
Je suis l'ennemi des gens. Je suis un petit microbe méchant.

**Nom :** ____________________

**Domicile :** ____________________

**Fonction :** ____________________

**Ami, ennemi, les deux?**
____________________

**Nom :** ____________________

**Domicile :** ____________________

**Fonction :** ____________________

**Ami, ennemi, les deux?**
____________________

**Nom :** ____________________

**Domicile :** ____________________

**Fonction :** ____________________

**Ami, ennemi, les deux?**
____________________

# Le code des microbes

**A Trouve les mots cachés en caractères gras. Regarde l'exemple. Attention! On peut utiliser chaque lettre une fois seulement.**

- l'**air**
- **alimentaire**
- l'**ami**
- **beau**
- **bon**
- le **chocolat**
- la **collection**
- les **dents**
- l'**ennemi**
- le **fromage**
- **gros**
- l'**idée**
- l'**intoxication**
- ✔ la **main**
- le **nez**
- la **poussière**
- le **prix**
- le **rhume**
- le **riz**
- la **vie**
- les **yeux**

| | | | | | | | | | | | |
|---|---|---|---|---|---|---|---|---|---|---|---|
| T | C | O | L | L | E | C | T | I | O | N | E |
| O | C | T | U | S | O | R | G | M | P | X | R |
| U | H | I | D | E | E | T | E | A | O | I | I |
| J | O | D | M | X | U | E | Y | I | U | R | A |
| O | C | O | A | A | I | R | N | N | S | P | T |
| U | O | I | I | V | I | E | E | S | S | L | N |
| R | L | S | N | R | I | Z | Z | U | I | A | E |
| S | A | I | M | E | N | N | E | A | E | V | M |
| I | T | L | E | S | B | O | N | E | R | E | I |
| M | F | R | O | M | A | G | E | B | E | R | L |
| A | R | H | U | M | E | S | T | N | E | D | A |
| I | N | T | O | X | I | C | A | T | I | O | N |

**B Encercle les mots qui restent avec une autre couleur. Utilise les mots pour former le message-mystère. Regarde les indices au bas de la page.**

__ __   __ __ __ __ __   __ __ __ __ __ __ __ __   __ __

__ __ __ __ __   __ __ __   __ __ __ __ __ ...

**... avant** ▪ de faire la cuisine; ▪ de manger.

**... quand** ▪ tu vas à la toilette; ▪ tu éternues; ▪ tu sors les poubelles; ▪ tu joues avec les animaux.

→ LIVRE p. 38

# Les microbes sont partout!

COMPRENDS-TU?

**A** **Lis *Les microbes sont partout* aux pages 38 à 41 de ton livre. Choisis a), b) ou c) pour compléter chaque phrase.**

**1.** ☐ Véronique étudie pour son quiz de sciences...
a) dans la cuisine. b) à la bibliothèque. c) dans sa chambre.

**2.** ☐ Les premiers microbes que SuperM montre à Véronique sont...
a) sur son bras. b) sur son lit. c) dans le tapis.

**3.** ☐ Véronique et SuperM arrivent dans un champ...
a) de tulipes. b) de microbes. c) de maïs.

**4.** ☐ Quand Véronique et SuperM arrivent près des déchets,
a) ils ferment les yeux. b) ils arrêtent de respirer. c) ils se pincent le nez.

**5.** ☐ Le lendemain matin, Véronique est réveillée...
a) par son réveille-matin. b) par son père. c) par de bonnes odeurs de nourriture.

**B** **Relis la bande dessinée. Réponds aux questions en phrases complètes.**

**1.** Pourquoi est-ce que nous ne pensons pas souvent aux microbes?

___

**2.** Quelle est la fonction du bacillus thuringiensis dans les champs?

___

**3.** Pourquoi est-ce que les boulangers doivent utiliser de la levure?

___

**4.** Quelle est la fonction des méthanotrophes dans les déchets?

___

**5.** Où est-ce que tu étudies quand tu as un quiz?

___

→ LIVRE p. 41

 

# Le verbe devoir

**A Complète les phrases avec la bonne forme du verbe *devoir*.**

**EXEMPLE :** Je ___dois___ rester au lit aujourd'hui.

**devoir**

je ________

________ dois

il doit

elle ________

on ________

________ devons

vous ________

ils ________

elles doivent

1. Je ________________ aller chez le dentiste.
2. Nous ________________ développer un meilleur médicament.
3. On ________________ se laver les mains.
4. Tu ne ________________ pas attraper un rhume.
5. Annie et Lise ________________ aller à la foire des sciences.
6. Les boulangers ________________ utiliser de la levure pour faire du pain.
7. Est-ce que vous ________________ sortir les poubelles aujourd'hui?
8. Elle ne ________________ pas oublier de faire ses devoirs de biologie.
9. Annie ________________ regarder l'émission sur les microbes à la télé.
10. Est-ce qu'ils ________________ tuer les mauvaises bactéries?

**B Réponds aux questions suivantes en phrases complètes.**

**EXEMPLE :** Est-ce que tu dois écouter de la musique classique?
___Oui, je dois écouter de la musique classique.___

1. Est-ce qu'elles doivent protéger les plantes contre ce microbe? (Non)
________________________________________
2. Est-ce qu'Étienne doit prendre ses pilules pendant sept jours? (Oui)
________________________________________
3. Est-ce que nous devons acheter des goûters pour la fête? (Oui)
________________________________________
4. Est-ce que vous devez compléter le projet pour demain? (Non)
________________________________________
5. Est-ce qu'on doit utiliser des microbes pour fabriquer le chocolat? (Oui)
________________________________________

# Radio microbe

ÉCOUTONS!

PARLONS!

LISONS!

ÉCRIVONS!

**A** **Écoute bien. Complète le dialogue suivant avec la forme correcte de *devoir*, *vouloir* ou *pouvoir*.**

**ML :** Bonjour! Ici Madeleine Lami. Aujourd'hui, j'ai le grand plaisir de parler en studio avec un microbe très célèbre, monsieur Lactobacille.

**Lb :** Bonjour tout le monde.

**ML :** D'abord, on ____________________ expliquer aux auditeurs le rôle des microbes dans notre vie. On croit que tous les microbes sont méchants. Est-ce vrai?

**Lb :** Absolument pas! Je ____________________ vous le dire tout de suite : il y a des microbes, comme moi, qui aident les gens.

**ML :** Comment est-ce que vous ____________________ nous aider, monsieur Lactobacille?

**Lb :** Moi, je ____________________ transformer le lait en fromage, en yogourt ou en chocolat. Sans moi, pas de fromage, pas de chocolat! Imaginez un monde sans fromage ni chocolat! Pas de gâteau au fromage, pas de pizza, pas de macaroni au fromage!

**ML :** Quelle horreur! Nous ____________________ vous remercier pour tous nos plats préférés. Vous êtes vraiment un bon microbe.

**Lb :** Oh, ça me fait plaisir! Mais je ne suis pas le seul.

**ML :** ____________________-vous décrire les autres bons microbes?

**Lb :** Avec plaisir! Vous ____________________ connaître mon amie saccharomyces cerevisiæ?

**ML :** Qui?!

 

**Lb :** La levure! Si on _______________ faire du pain, on _______________ utiliser de la levure.

**ML :** Elle _______________ être très fière de son travail, votre amie. Il y en a d'autres?

**Lb :** Oui, il y a de bons microbes dans vos intestins. Ils vous aident à digérer la nourriture. Dans la terre, il y a le streptomyces. On _______________ l'utiliser pour fabriquer un médicament.

**ML :** Alors, on ne _______________ pas vivre sur terre sans les bons microbes?

**Lb :** Exactement.

**ML :** Merci beaucoup pour cette information, monsieur Lactobacille, et pour votre travail.

**Lb :** Merci, madame Lami, au revoir.

**B** **Lis l'entrevue à voix haute avec un ou une partenaire.**

PARLONS!

**C** **Relis la Partie A. Réponds aux questions suivantes.**

LISONS! ÉCRIVONS!

**1.** Est-ce que tous les microbes sont méchants?

_______________________________________________

**2.** Qu'est-ce qu'on produit avec le lactobacille?

_______________________________________________

**3.** Quel est l'autre nom du saccharomyces cerevisiæ?

_______________________________________________

**4.** Qu'est-ce qu'on fabrique avec le streptomyces?

_______________________________________________

**5.** Où sont les microbes qui nous aident à digérer la nourriture?

_______________________________________________

→ LIVRE p. 44

# À ton tour

## Le championnat de soccer

**Complète la bande dessinée. Utilise les mots utiles. En groupe de trois, présentez le dialogue à la classe.**

Dix jours avant le grand match de soccer...

Étienne! Tu _________ te lever!

Aaahhh! Je suis _________ : j'ai mal à la gorge.

Tu as peut-être de la fièvre.

Mais je _______ aller à l'école! Je _______ m'entraîner au _______!

Si tu es malade, tu _______ rester au lit et te _________.

Deux jours plus tard...

J'ai toujours mal ___ ______ _________.

Je vais _____________ à Docteure Chapin.

Au bureau de Docteure Chapin...

Bonjour, Étienne.

Ma gorge me fait mal, mais je ne ________ pas manquer le match!

Je vais faire un _________ pour voir quel type de ___________ te donne mal à la gorge. C'est peut-être le streptocoque.

**MOTS UTILES**

| | | | | |
|---|---|---|---|---|
| à la gorge | streptocoques | prochaine | soccer | test |
| docteure | malade | reposer | téléphoner | dois (6x) |
| médicaments | pilules | sept | peux | microbe |

→ LIVRE p. 44

# Microbes!

COMPRENDS-TU?

**A** **Lis la chanson *Microbes!* à la page 45 de ton livre. Trouve les noms qui ressemblent à des noms en anglais.**

**Attention! Il y a souvent des différences entre le français et l'anglais.**

**Les noms**

**1.** ______________ **6.** ______________

**2.** ______________ **7.** ______________

**3.** ______________ **8.** ______________

**4.** ______________ **9.** ______________

**5.** ______________ **10.** ______________

**B** **Réponds aux questions en phrases complètes.**

**1.** Nomme les deux types de microbes.

______________

______________

**2.** Nomme trois types de nourriture qui contiennent des microbes.

______________

______________

**3.** Comment est-ce que les microbes peuvent être votre protection contre les infections?

______________

______________

**4.** Qu'est-ce que les microbes combattent dans notre corps?

______________

______________

**5.** Nomme trois endroits où les microbes habitent dans notre environnement.

______________

______________

→ **LIVRE** p. 46

# Chanson : Microbes!

**A** **Écoute la chanson. Complète les phrases avec le bon adjectif possessif.**

| notre |
|---|
| nos |
| votre |
| vos |
| leur |
| leurs |

**Refrain :** Il y a des microbes partout, tout le temps
__________ monde est plein de microbes
Il y en a des bons et des méchants. **Refrain (bis)**

Vous savez ce que vous mangez, n'est-ce pas?
Il y a des microbes dans __________ nourriture
Dans le pain, le fromage et le chocolat! **Refrain (bis)**

Les microbes ont des qualités :
__________ actions nous aident à digérer
Les repas que nous aimons manger.

Les microbes peuvent être __________ protection.
Ils sont dans __________ médicaments
Et combattent les infections.

Les microbes sont dans __________ lacs et __________ rivières.
Ils sont dans __________ corps et sur __________ mains.
Ils font partie de __________ atmosphère. **Refrain (bis)**

**B** **Complète les phrases suivantes. Utilise un adjectif possessif.**

**1.** Avec qui est-ce que nous aimons faire des projets de sciences?
– Nous aimons faire des projets avec ______________ ami.

**2.** Où vont Sonia et Asif?
– Ils vont chez ______________ dentiste.

**3.** Qu'est-ce que vous cherchez?
– Nous cherchons ______________ livres.

**4.** M. Landry, est-ce que vous corrigez les projets de sciences de Kathy et de Marco?
– Oui, je corrige ______________ projets.

**5.** Qu'est-ce que nous devons porter pour ne pas attraper un rhume?
– Vous devez porter ______________ tuques.

# Les adjectifs possessifs au pluriel

**A** **Complète les phrases suivantes avec la bonne forme de l'adjectif possessif au pluriel.**

**Exemple :** Vous devez étudier pour _vos_ examens.

1. Nous ne lavons pas ____________ vêtements à l'école.
2. Est-ce que vous parlez à ____________ amis du projet de sciences?
3. Il doit parler à ____________ professeurs.
4. Est-ce qu'elles aiment étudier avec ____________ amies?
5. Elle ne veut pas jouer avec ____________ cousins parce qu'ils ont un rhume.
6. Les élèves doivent étudier pour ____________ examens.
7. Est-ce que tu vas à l'école avec ____________ frères?
8. Est-ce que nous devons faire ____________ devoirs ce soir?
9. Je vais passer les vacances avec ____________ sœurs.
10. Tu dois montrer ton dessin du microbe à ____________ parents.

**B** **Réponds aux questions suivantes en phrases complètes.**

**Exemple :** Qu'est-ce que nous devons porter à la patinoire? (patins)

_Vous devez porter vos patins._

1. Qui est-ce que Henrik et Éva vont voir après l'école? (grand-mère)

   Ils ____________________________________________.
2. Avec qui est-ce que tu fais le projet de sciences? (avec ___ amis)

   Je ____________________________________________.
3. Qu'est-ce que vous faites cet après-midi? (devoirs)

   Nous ____________________________________________.
4. Qu'est-ce que je dois apporter en classe? (livres sur les microbes)

   Tu ____________________________________________.
5. Qui est-ce que ta sœur invite à la maison pour faire des recherches? (amies)

   Elle ____________________________________________.

→ LIVRE p. 49

# Les microbes-mystères

**A Complète l'entrevue avec les formes correctes de l'adjectif possessif et du verbe *devoir*.**

**L'animateur :** Bienvenue à tous! Aujourd'hui, je vais parler avec trois microbes bien connus. Vous ____________ deviner leurs noms.

**Microbes 1, 2 et 3 :** Bonjour tout le monde!

**L'animateur :** D'abord, on ____________ expliquer ____________ rôles aux spectateurs. On croit que tous les microbes sont méchants. Est-ce vrai?

**Microbe 1 :** Pas vraiment! Mais, je ____________ vous dire : il y a des microbes, comme nous, qui ne sont pas de bons amis!

**L'animateur :** Qu'est-ce que vous faites dans la vie?

**Microbe 1 :** Les microbes comme moi ____________ habiter dans les champs. J'aime surtout grignoter le riz. Je peux affecter ____________ digestion.

**L'animateur :** Quelle horreur! Et vous, où est-ce que vous habitez?

**Microbe 2 :** Moi, vous ne me connaissez pas, et pourtant, j'habite chez vous! J'aime bien être au chaud dans ____________ lits, sur ____________ canapés, dans la poussière et même sur ____________ peau! Malheureusement, je peux vous causer des allergies.

**L'animateur :** Et vous? Parlez-nous de ce que vous aimez faire.

**Microbe 3 :** Vous ____________ faire bien attention à moi. Les gens ont du mal à m'éviter parce que je suis partout. Je suis dans ____________ maison, dans l'air qu'ils respirent, sur les mains de ____________ amis... Et je peux leur donner très mal à la gorge.

**L'animateur :** Maintenant, chers spectateurs, qui sont ces microbes qui sont dans ____________ corps? Sont-ils ____________ amis ou ____________ ennemis?

**B En groupe de quatre, devinez qui sont les trois microbes. Présentez cette scène à la classe. Est-ce que la classe peut deviner qui vous êtes?**

# Les microbes au travail...

**Lis le paragraphe suivant. Complète le paragraphe avec les mots utiles. Dessine la scène et identifie les parties de ton dessin.**

Les microbes habitent souvent dans des __________________ que les humains n'aiment pas... comme les poubelles. Elles sentent __________________ à cause des _____________________! Il fait chaud et __________________ dans les sacs de __________________ : ces microbes __________________ peuvent facilement s'y multiplier. __________________, ils font disparaître les vieux objets et la __________________ jetés par les gens. Ces microbes sont nos __________________ parce qu'ils sont les __________________ de la pollution.

le sac de déchets

la poubelle

**MOTS UTILES**

| | | | | | |
|---|---|---|---|---|---|
| amis | bon | déchets | endroits | ennemis | gros |
| humide | mauvais | méthanotrophes | minuscules | nourriture | Petit à petit |

# Mots croisés

**Trouve le mot qui manque dans chaque phrase pour compléter la grille. Ne mets pas d'accents.**

**Horizontalement :**

1. S'il veut réussir le quiz, il ______ étudier.
6. Internet est un ______ outil de recherche.
9. Quelquefois, quand on est malade, il faut prendre des ______.
10. Le microbe qui cause l'acné n'est pas l'______ des adolescents.
11. Ce microbe ______ voyage dans l'air.
14. Si tu as faim, tu dois ______ quelque chose!
15. On utilise des enzymes pour fabriquer la gomme à ______.

**Verticalement :**

2. Des milliers de microbes dans nos ______ aident la digestion.
3. Ces microbes causent des ______ aux dents.
4. C'est facile d'______ un rhume!
5. Les microbes dans nos intestins nous aident à digérer la ______.
7. Le ______ lactobacille transforme le lait en yogourt.
8. La boulangère utilise de la ______ pour faire du pain.
12. Les deux sœurs aiment aller chez ______ grand-mère.
13. Le bacillus cereus est l'______ des insectes qui mangent les plantes.

| | | | | |
|---|---|---|---|---|
| ami | caries | grignoter | levure | microbe |
| attraper | doit | intestins | mâcher | minuscule |
| bon | ennemi | leur | médicaments | nourriture |

→ LIVRE p. 49

# Mon auto-évaluation

**A** **Maintenant, je réussis à...**

| Maintenant, je réussis à... | avec difficulté | avec peu de difficulté | assez bien | très bien |
|---|---|---|---|---|
| parler des microbes et de leurs fonctions. | ☐ | ☐ | ☐ | ☐ |
| identifier les bons et les méchants microbes. | ☐ | ☐ | ☐ | ☐ |
| utiliser des adjectifs qualificatifs placés avant le nom. | ☐ | ☐ | ☐ | ☐ |
| utiliser le verbe irrégulier *devoir*. | ☐ | ☐ | ☐ | ☐ |
| utiliser des adjectifs possessifs. | ☐ | ☐ | ☐ | ☐ |
| comprendre le sens général d'un texte par son format et son contexte. | ☐ | ☐ | ☐ | ☐ |
| préparer des cartes info-microbes sur huit microbes de mon choix. | ☐ | ☐ | ☐ | ☐ |

**B** **1. Dans cette unité, j'ai beaucoup aimé...**

______________________________________________

______________________________________________

**2. Dans cette unité, je n'ai pas aimé...**

______________________________________________

______________________________________________

# Mon vocabulaire de base

**Note le vocabulaire important de cette unité.**

**1.** Pour parler des musées de cire...

un guide

**2.** Pour parler des personnages en cire...

célèbre(s)

**3.** Pour parler des instruments et des matériaux qu'on utilise pour faire les personnages en cire...

de la cire

**4.** Pour décrire comment on fait les personnages en cire...

prendre des photos et les mesures du personnage

**5.** Et aussi...

# Des descriptions

**Écoute les descriptions suivantes. Complète les phrases avec les mots utiles que tu entends.**

1. C'est un très bon ________________ américain.
2. C'est le meilleur ________________ du Canada.
3. Ce ________________ chante les plus belles chansons.
4. Cette ________________ est connue partout dans le monde.
5. Tout le monde adore ce ________________ canadien.
6. Cette femme est un ________________.
7. ________________ sont les plus beaux du musée.
8. L' ________________ qui est dans ce magazine est très célèbre.
9. Ce ________________ est vraiment laid.
10. Il adore cette ________________ parce qu'elle est très bonne.
11. Il y a ________________ à Londres.
12. Tout le monde aime ce ________________ important.
13. Il y a un bon film sur la vie de ce ________________.
14. Quel est votre ________________ préféré?
15. La petite fille à la télévision est une ________________ formidable!

## MOTS UTILES

| | | | |
|---|---|---|---|
| acteur | actrice | athlète | chanteur |
| chanteuse | danseur | danseuse | groupe musical |
| monstre | un grand musée de cire | Ces personnages en cire | personnage fictif |
| personnage politique | personnage historique | vedette de la télévision | |

→ LIVRE p. 52

# Une visite au musée de cire

**Réponds aux questions suivantes en phrases complètes.**

**Exemple :** Qu'est-ce qu'Annick, l'amie de Lily, voit au début de l'histoire?
*Annick voit un musée de cire.*

**1.** Pourquoi est-ce qu'Annick veut aller au musée de cire?

**2.** Quel personnage en cire est-ce que le guide décrit? Comment est-il?

**3.** Lily veut voir un personnage en cire de qui? Pourquoi?

**4.** Pourquoi est-ce que Lily dit au sculpteur qu'il est comme le docteur Frankenstein?

**5.** Qu'est-ce que le sculpteur doit faire en premier pour fabriquer un personnage en cire?

**6.** Qu'est-ce que le sculpteur utilise pour préparer le corps du personnage?

**7.** Comment est-ce que le sculpteur met des cheveux sur la tête du personnage?

**8.** Quelle est la dernière chose qu'on doit faire pour préparer le personnage?

**9.** À la fin de l'histoire, Lily et Annick disent «Au revoir, monsieur le docteur!» Pourquoi est-ce qu'elles appellent le sculpteur «docteur»?

**10.** Quel personnage en cire est-ce que tu veux voir?

→ **LIVRE** p. 55

# Quels mots?

**A Écoute les phrases et encercle les mots que tu entends.**

| | | | |
|---|---|---|---|
| **1.** | le sculpteur | l'instructeur | le professeur |
| **2.** | le verre | la fibre de verre | le plastique vert |
| **3.** | son auto | son atelier | son musée |
| **4.** | un moule de cire | une boule de pâte | un moule de plâtre |
| **5.** | le guide | le sculpteur | le personnage |

**B Utilise chacun des mots suivants dans une phrase originale complète.**

**Exemple : une statue**

*Il y a une statue devant le musée.*

**1.** une salle

______________________________

______________________________

**2.** célèbre

______________________________

______________________________

**3.** un couturier / une couturière

______________________________

______________________________

**4.** un personnage en cire

______________________________

______________________________

**5.** un musée de cire

______________________________

______________________________

→ LIVRE p. 56

# À l'impératif!

**A** **Le sculpteur explique comment on fabrique un personnage en cire. À l'oral, mets les verbes à l'impératif pour donner des instructions à une personne. Écris seulement les verbes sur les lignes.**

**Exemple : On utilise** des photos et les mesures du personnage.
«**Utilise** des photos et les mesures du personnage!»

A ____________________
B ____________________

A ____________________
B ____________________

A ____________________
B ____________________

A ____________________
B ____________________

A ____________________
B ____________________

**B** **Maintenant, à l'oral, mets les verbes de la Partie A à l'impératif pour donner des instructions à deux personnes. Écris seulement les verbes sur les lignes.**

**Exemple : On utilise** des photos et les mesures du personnage.
«**Utilisez** des photos et les mesures du personnage!»

# Vouloir, pouvoir ou devoir?

**A** **Écoute les phrases et écris la forme du verbe *vouloir, pouvoir* ou *devoir* que tu entends.**

**1.** ______________________ fabriquer un personnage en cire.

**2.** ______________________ voir un personnage en cire de Napoléon.

**3.** ______________________ aller à l'atelier du sculpteur.

**4.** ______________________ partir maintenant?

**5.** ______________________ voir les personnages en cire.

**B** **Complète les phrases suivantes avec la bonne forme du verbe *vouloir, pouvoir* ou *devoir*.**

**Exemple :** Elle ___doit___ fabriquer le corps du personnage. (devoir)

**1.** Tu __________________ me donner les vêtements du personnage. (pouvoir)

**2.** Je __________________ voir le personnage en cire de Marie-Antoinette. (vouloir)

**3.** Vous __________________ partir maintenant. (pouvoir)

**4.** Elles __________________ visiter le musée de cire. (vouloir)

**5.** Je __________________ prendre ces photos du personnage. (devoir)

**C** **Mets les phrases de la Partie B à la forme négative.**

**Exemple :** Elle ne doit pas fabriquer le corps du personnage.

**1.** ____________________________________________

**2.** ____________________________________________

**3.** ____________________________________________

**4.** ____________________________________________

**5.** ____________________________________________

# Le bon adjectif

**A** **Ajoute l'adjectif à chaque phrase. N'oublie pas l'accord. Attention au sens de la phrase!**

**Exemple :** Cette fille est très célèbre. (petit)
*Cette petite fille est très célèbre.*

1. Ce monstre fait peur aux visiteurs. (grand)
   ______________________________
2. À Victoria, il y a un musée de cire. (petit)
   ______________________________
3. Tout le monde adore cette chanteuse. (populaire)
   ______________________________
4. Regardez ces vêtements. (élégant)
   ______________________________
5. C'est la salle du musée de cire. (meilleur)
   ______________________________
6. Remarquez l'expression de ses yeux. (bleu)
   ______________________________
7. C'est un acteur. (jeune)
   ______________________________
8. Regarde sa robe. (noir)
   ______________________________
9. C'est une reproduction de King Kong. (mauvais)
   ______________________________
10. Passons à la salle. (grand)
    ______________________________

**B** **À l'oral, avec un ou une partenaire, remplacez les adjectifs de la Partie A par d'autres adjectifs possibles.**

**Exemple :** Cette petite fille est très célèbre.
*Cette grande fille est très célèbre.*

# Une visite guidée

**A Le guide du musée accompagne un groupe. Il décrit des personnages en cire. Complète les phrases avec les bons adjectifs possessifs et les bons adjectifs qualificatifs.**

**Exemple :** Il porte __sa__ (son, sa, ses) belle chemise.

**Guide :** Passons à une salle très ________________ (important, importante) : la salle des athlètes! Suivez-moi!... Regardez ________________ (leur, leurs) équipements et ________________ (leur, leurs) expressions. Est-ce que vous voyez ________________ (votre, vos) athlètes préférés dans cette salle?

Regardez ce personnage ________________ (intéressant, intéressante) à droite. Ce Canadien célèbre est un athlète très ________________ (distingué, distinguée). Beaucoup de gens pensent qu'il a été le ________________ (meilleur, meilleure) joueur de hockey au monde. Remarquez la position de ________________ (son, sa, ses) corps. Il tient ________________ (son, sa, ses) bâton de hockey dans les mains. Il est prêt à jouer. Examinez ________________ (son, sa, ses) vêtements. Il porte ________________ (son, sa, ses) uniforme célèbre : le numéro 99. Son nom, comme vous le savez, c'est Wayne Gretzky...

Et ce coureur de marathon, vous le connaissez? C'est un de ________________ (notre, nos) héros canadiens, Terry Fox. Comme vous le voyez, il a perdu une jambe à cause du cancer. Il a traversé ________________ ________________ (notre, nos) (grand, grande) pays à la course pour lever des fonds pour la recherche sur le cancer. Regardez le logo du *Marathon de l'espoir* sur ________________ (son, sa, ses) t-shirt.

**B Joue le rôle du guide. Lis le passage à voix haute à ton ou ta partenaire. Ensuite, change de rôle avec ton ou ta partenaire.**

→ LIVRE p. 59

 

# À ton tour

## Ton personnage en cire

**A** **Réponds aux questions suivantes en phrases complètes. Utilise les verbes *vouloir* et *devoir*.**

**1.** Tu veux voir un personnage en cire de qui?

_______________________________________________

**2.** Pourquoi veux-tu voir un personnage en cire de cette personne? (Regarde les raisons ci-dessous.)

_______________________________________________

_______________________________________________

**Quelques raisons**

- C'est le meilleur / la meilleure ________________ du monde / du Canada.
- C'est mon / ma ________________ préféré(e).
- C'est un personnage important.
- C'est un bon / une bonne ________________.
- C'est un beau / une belle ________________.

**3.** Qu'est-ce qu'on doit faire pour fabriquer ton personnage en cire?

_______________________________________________

_______________________________________________

_______________________________________________

_______________________________________________

**B** **Utilise tes réponses pour écrire ton paragraphe.**

_______________________________________________

_______________________________________________

_______________________________________________

_______________________________________________

_______________________________________________

_______________________________________________

_______________________________________________

→ LIVRE p. 59

# La tâche finale

**A Écris au moins 15 à 20 phrases sur une feuille de papier pour présenter ton personnage en cire.**

- Utilise des adjectifs qualificatifs placés avant le nom et des adjectifs possessifs pour décrire ton personnage.
- Utilise les verbes irréguliers *vouloir, pouvoir* et *devoir.*
- Utilise des verbes à l'impératif pour diriger les personnes qui font la visite guidée.
- Utilise le passage suivant comme modèle.

*Entrons dans la salle des acteurs de cinéma. Ici, vous pouvez voir les grandes célébrités du cinéma moderne. Examinez les personnages. Voulez-vous de l'information sur les célébrités?*

*Regardez le personnage à ma droite. C'est un comédien célèbre. Il est né dans la belle ville de Toronto, en Ontario. Vous devez savoir qui c'est… c'est John Candy. Remarquez son expression joyeuse et son beau sourire. Regardez ses vêtements. Le personnage en cire porte les vêtements réels de John Candy dans le film* Oncle Buck. *John Candy est dans plus de 60 films! Il est mort en 1994. Si vous voulez voir un film de John Candy, vous devez le louer en vidéo.*

*Maintenant, nous pouvons passer aux autres acteurs et actrices dans la salle.*

**B Échange ton texte avec un ou une partenaire.**

- Faites des corrections et des suggestions sur les textes.
- Modifiez les textes si nécessaire.

**C Récris ton texte.**

 

# Mon auto-évaluation

**A Maintenant, je réussis à...**

| | avec difficulté | avec peu de difficulté | assez bien | très bien |
|---|---|---|---|---|
| parler des musées de cire et des personnages en cire. | ☐ | ☐ | ☐ | ☐ |
| décrire comment on fabrique les personnages en cire. | ☐ | ☐ | ☐ | ☐ |
| utiliser l'impératif pour donner des ordres et des suggestions. | ☐ | ☐ | ☐ | ☐ |
| utiliser les verbes *vouloir, pouvoir,* et *devoir.* | ☐ | ☐ | ☐ | ☐ |
| utiliser les adjectifs qualificatifs placés avant le nom. | ☐ | ☐ | ☐ | ☐ |
| utiliser les adjectifs possessifs. | ☐ | ☐ | ☐ | ☐ |
| deviner le sens général du texte et le sens des mots à l'aide des images. | ☐ | ☐ | ☐ | ☐ |
| jouer le rôle du guide au musée de cire et à présenter le personnage en cire de mon choix. | ☐ | ☐ | ☐ | ☐ |

**B**

**1. Dans cette unité, j'ai beaucoup aimé...**

______________________________________________

______________________________________________

**2. Dans cette unité, je n'ai pas aimé...**

______________________________________________

______________________________________________

# Mon vocabulaire de base

**Note le vocabulaire important de cette unité.**

**1.** Pour décrire les endroits qu'on peut visiter en hiver et leurs attractions...

le Nunavut

**2.** Pour décrire le paysage d'une destination d'hiver...

une montagne

**3.** Pour décrire des sports et d'autres activités d'hiver...

la pêche sur glace

**4.** Des adjectifs irréguliers

bon(ne)(s)

**5.** Et aussi...

# Voyage au bout de l'hiver

COMPRENDS-TU?

**A** **Trouve les réponses aux questions suivantes dans le texte *Voyage au bout de l'hiver* aux pages 62 et 63 de ton livre. Réponds en phrases complètes.**

**1.** Quel est le nom du village où se trouve l'hôtel de glace?

______________________________

**2.** Dans quel pays se trouve ce village?

______________________________

**3.** Quelles sortes d'attractions est-ce qu'on trouve dans l'hôtel de glace?

______________________________

**4.** Quelle espèce d'animal est le caddie pour la partie de golf sur glace?

______________________________

**5.** Qu'est-ce que le mot «Iqaluit» veut dire en inuktitut?

______________________________

**6.** Quel est le nom de la ville près du Jungfraujoch?

______________________________

**7.** Quelle est l'altitude du Jungfraujoch?

______________________________

**8.** Les cascades de Lauterbrunnen se trouvent dans quel pays?

______________________________

**9.** Quel endroit veux-tu visiter?

______________________________

**10.** Quelle activité est-ce que tu aimes le plus?

______________________________

**B** **Trouve dans le texte les mots de la même famille pour chacun des mots suivants.**

**Exemple :** une ville ___un village___

un mont ______________ l'admiration ______________

le langage ______________ exposer ______________

cuisiner ______________

→ LIVRE p. 64

# Mots cachés

**A** **Trouve les mots cachés en caractères gras.**

l'**anglais**
l'**arctique**
les **aurores boréales**
la **capitale**
la **cuisine**
la **culture**
la **glace**
l'**histoire**
l'**hiver**
l'**iglou**
l'**Inuit**
l'**inuktitut**
**Iqaluit**
la **langue**
**majestueux**
**merveilleux**
la **montagne**
**nouveau**
le **nord**
le **Nunavut**
le **peuple**
le **renne**
le **sommet**
le **sport**
la **Suède**
la **Suisse**
le **voyage**
**vieux**

| L | A | N | G | U | E | S | S | I | U | S | A |
|---|---|---|---|---|---|---|---|---|---|---|---|
| E | R | U | T | L | U | C | H | I | V | E | R |
| T | R | O | P | S | U | O | L | G | I | L | M |
| I | E | C | L | S | I | A | L | G | N | A | E |
| U | U | U | M | O | N | T | A | G | N | E | M |
| L | E | I | S | E | U | Q | I | T | C | R | A |
| A | E | S | A | V | K | D | R | O | N | O | J |
| Q | L | I | A | S | T | I | U | N | I | B | E |
| I | P | N | N | D | I | E | D | E | U | S | S |
| X | U | E | I | V | T | S | O | M | M | E | T |
| N | E | A | N | O | U | V | E | A | U | R | U |
| N | P | H | I | S | T | O | I | R | E | O | E |
| V | O | Y | A | G | E | E | N | N | E | R | U |
| E | M | E | R | V | E | I | L | L | E | U | X |
| G | L | A | C | E | L | A | T | I | P | A | C |

**B** **Mets les lettres qui restent dans les espaces pour trouver une description de l'hiver.**

L ___    ___ ___ I ___ L ___ ___ R ___    ___ ___ I ___ O ___    ___ E

L' ___ N ___ É ___ !

# Tant de questions!

**Avec un ou une partenaire, réponds aux questions suivantes. Utilisez les mots de la même famille pour trouver la bonne réponse dans la liste. Écris la lettre correspondante dans la bonne case.**

**1.** ☐ Est-ce que Jukkasjärvi est en **Suède?**

**2.** ☐ Est-ce que le lac est **enneigé?**

**3.** ☐ Ton amie fait-elle du **ski?**

**4.** ☐ Est-ce qu'il y a du **soleil** aujourd'hui?

**5.** ☐ Qu'est-ce qu'un **glacier?**

**6.** ☐ Est-ce que les Alpes sont **hautes?**

**7.** ☐ Le parc Qaummaarviit est-il un site **historique**?

**8.** ☐ Tes amis suisses aiment-ils faire du **sport**?

**9.** ☐ Est-ce que le caribou **habite** le nord du Canada?

**10.** ☐ Je m'intéresse à la **culture**. Est-ce que cette région en offre?

**a)** Oui, c'est une journée **ensoleillée.**

**b)** Oui, c'est une bonne **skieuse.**

**c)** C'est une formation naturelle de **glace.**

**d)** Oui, c'est son **habitat** naturel.

**e)** Oui, il y a toutes sortes d'activités **culturelles.**

**f)** Oui, c'est un endroit important dans **l'histoire** de la région.

**g)** Oui, ils sont très **sportifs.**

**h)** Oui, c'est un village **suédois.**

**i)** Oui, **la hauteur** de ces montagnes est impressionnante.

**j)** Oui, il est complètement recouvert de **neige.**

→ **LIVRE** p. 65

# Les adjectifs irréguliers

**A Choisis la bonne forme de l'adjectif pour compléter chaque phrase.**

**Exemple :** Interlaken est un bel endroit. (beau / bel / belle)

1. Nous avons une chambre dans un ____________ hôtel. (vieux / vieil / vieille)

2. Le moniteur de ski est mon ____________________ ami. (nouveau /nouvel / nouvelle)

3. Cet hiver, le Lac Louise et Whistler-Blackcomb sont les destinations ____________________ des Canadiens. (favoris / favorites)

4. La construction de l'hôtel de glace est une ____________________ tradition. (ancien / ancienne)

5. Tes skis sont très ____________________! (beaux / belles)

**B Remplace les mots en italique par les mots entre parenthèses. Récris la phrase et fais tous les changements nécessaires.**

**Exemple :** *Ces photos* sont très vieilles. (Ces tableaux)
Ces tableaux sont très vieux.

1. Cet hiver, on va visiter *une destination* canadienne. (un parc)

________________________________________________________________

2. *Le voyage* à Iqaluit est très long. (La nuit)

________________________________________________________________

3. En hiver, *la ville* est complètement blanche. (le paysage)

________________________________________________________________

4. C'est *mon sport* favori. (ma région)

________________________________________________________________

5. *Le Lac Louise* est merveilleux. (La rivière Fraser)

________________________________________________________________

# La beauté du Grand Nord

**A** **Remplace les mots en italique par les mots entre parenthèses. Récris la phrase en faisant tous les changements nécessaires.**

**Exemple :** *L'eau* est très pure. (L'air) L'air est très pur.

1. *Ce fleuve* est très long. (Cette rivière)

______________________________

2. *Ces arbres* sont majestueux. (Ces montagnes)

______________________________

3. C'est *une* belle *région*. (un endroit)

______________________________

4. C'est *ma ville* favorite. (mon village)

______________________________

5. J'achète *un* nouvel *équipement de sport*. (une planche à neige)

______________________________

**B** **Mets les mots en italique au pluriel. Fais tous les changements nécessaires. Attention! Quand l'adjectif est placé avant le nom au pluriel, *des* devient *de* ou *d'*.**

**Exemple :** Il y a un vieux village au nord du cercle arctique.
Il y a de vieux villages au nord du cercle arctique.

1. Je vois *un* gros *flocon* de neige.

______________________________

2. On peut voir *un* bel *ours* blanc au Nunavut.

______________________________

3. Je vois *une* grande *montagne* au loin.

______________________________

4. Je veux visiter *une* destination *canadienne*.

______________________________

5. J'achète *un* beau *souvenir* de la Suède.

______________________________

→ LIVRE p. 67

# À ton tour

## Des nouvelles de la Suisse

**A** **Écoute bien. Remplis les tirets avec les mots qui manquent.**

**Éric :** Oui, allô?

**Carmen :** Salut, Éric, c'est Carmen. Ça va ________?

**Éric :** Salut, Carmen! Ça va ________ bien. Où es-tu?

**Carmen :** Je suis en vacances. Je t'appelle d'Interlaken, en Suisse.

**Éric :** Interlaken! Tu es vraiment ________________. C'est une très ________ ville.

**Carmen :** Et les Alpes sont ____________________. J'adore ce pays.

**Éric :** Les Suisses sont très ____________________, non?

**Carmen :** Oui, je rencontre beaucoup de __________________ amis. Je veux pratiquer mon français, mais les gens de cette région parlent surtout l'allemand.

**Éric :** Ah, c'est __________. Et la cuisine ____________? Tu manges __________?

**Carmen :** Ah oui! Le fromage est ________________ et la fondue au chocolat est ________________.

**Éric :** Et tu t'amuses dans les montagnes?

**Carmen :** Mais oui! Je fais de la planche à neige tous les jours sur les glaciers. Aujourd'hui, on monte au Jungfraujoch, une station de recherche ________________ en __________ montagne à 3 457 mètres d'altitude.

**Éric :** Le Jungfraujoch? La gare au sommet est la plus __________ de l'Europe! Est-ce qu'on va se voir bientôt?

**Carmen :** Je reviens dans trois jours.

**Éric :** Amuse-toi bien, alors. Au revoir!

**Carmen :** Au revoir!

**B** **Avec un ou une partenaire, utilisez ce dialogue comme modèle pour créer votre propre dialogue sur une destination d'hiver de votre choix. Utilisez trois adjectifs irréguliers dans votre dialogue.**

→ LIVRE p. 67

# À la tâche

ÉCOUTONS!

ÉCRIVONS!

## Bon voyage!

**A** **Sonia et Jean sont en vacances. Écoute leurs cartes postales et encercle les bons mots dans chaque phrase. Si tu ne connais pas le genre d'un mot, regarde dans ton lexique.**

Salut, Sonia!

Je suis en (Suède / Suisse) avec ma famille. Ce pays est super! Les (agents / gens) sont très sympathiques et les (montagnes / monstres) sont (merveilleuses / merveilleux).

(La cuisine / L'usine) est tellement (bon / bonne)! On mange (de la raclette / de la fondue) tous les jours; c'est du fromage fondu. La raclette est (délicieux / délicieuse)!

Demain, on va faire une promenade sur un (glacier / glaçon). Je veux passer le reste de ma vie (à Vancouver / en vacances)!

Mais je reviens la semaine prochaine...

Ton ami, Jean

Sonia Goswami
1, rue Evergreen
Winnipeg
(Manitoba)
R3L 0E9
CANADA

Bonjour, Jean!

Je suis chez ma (sœur / tante), à Iqaluit. Cette ville est près du cercle (arctique / article). Il faut profiter du (jour / soleil), parce que les nuits sont très (longs / longues). Mais on voit de (belles / beaux) aurores boréales dans le ciel : des lumières (verts / vertes) et rouges. C'est comme un arc-en-ciel en pleine nuit!

Aujourd'hui, nous faisons un tour en (traîneau à chiens / train) dans le parc Qaummaarviit. Et moi qui n'aime pas (le sport / l'hiver), je fais du (ski alpin / ski de fond) tous les jours!

J'apprends plein de choses sur les (anciennes / anciens) traditions des Inuits.

À bientôt,

Sonia

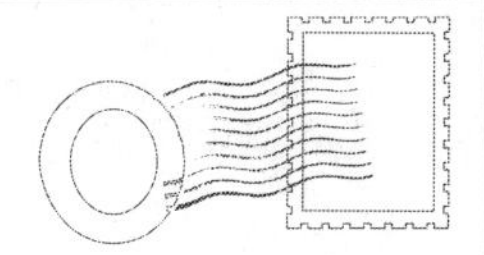

Jean Bolduc
1307, rue Harwood
Vancouver (C.-B.)
V6E 1S7
CANADA

**B** **Maintenant, écris ta carte postale sur une feuille de papier. Décris la destination : l'endroit, le paysage, les activités.**

→ LIVRE p. 68

# Un concours de voyage

**A** **Trouve les réponses aux questions suivantes dans le texte *Un concours de voyage* aux pages 68 à 70 de ton livre. Réponds en phrases complètes.**

**1.** Où est l'annonce pour le concours publicitaire?

______________________________

**2.** Quel est le nom des montagnes en Alberta?

______________________________

**3.** Quel sport est-ce qu'on pratique aux lacs Joffre?

______________________________

**4.** Dans quelle vallée est-ce qu'on peut faire de la raquette?

______________________________

**5.** Pourquoi est-ce que c'est impossible de voir la couleur turquoise du lac en hiver?

______________________________

**6.** Est-ce qu'il y a du poisson au Mont Tremblant? Comment le sais-tu?

______________________________

**7.** Dans quelle province se trouve Marble Mountain?

______________________________

**8.** Où est-ce que Mei veut aller cet hiver?

______________________________

**9.** Est-ce que tu participes à des concours? Quels concours?

______________________________

**10.** Quel est ton sport d'hiver préféré?

______________________________

**B** **Trouve dans le texte les mots de la même famille pour chacun des mots suivants.**

**Exemple :** un(e) touriste touristique

la découverte ______________ l'alpinisme ______________

décrire ______________ descendre ______________

annoncer ______________

→ LIVRE p. 70

# Les activités d'hiver

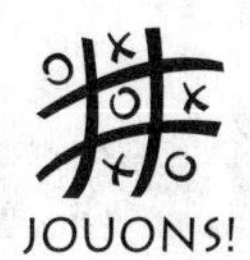


**Complète la grille. Trouve les mots dans ton livre. Ne mets pas d'accents.**

**Horizontalement :**

**1.** le _____ **7.** la _____

**8.** le _____ **9.** le _____

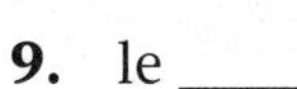

sur _____

**10.** la _____

**Verticalement :**

**2.** l' _____ **3.** le _____ **4.** un _____ **5.** la _____ **6.** le _____

→ LIVRE p. 71

# Les adjectifs démonstratifs

**A Complète les phrases suivantes avec le bon adjectif démonstratif (*ce / cet / cette / ces*).**

**Exemple :** Je veux faire de la planche à neige ____cet____ hiver.

**1.** ____________ région est très belle.

**2.** Il fait très froid ____________ automne.

**3.** ____________ filles parlent français.

**4.** ____________ pays est très intéressant.

**5.** ____________ hôtel est trop cher.

**6.** Il y a beaucoup de neige ____________ année.

**7.** ____________ homme est le moniteur de ski.

**8.** ____________ gens peuvent nous aider.

**9.** ____________ article parle des meilleures stations de sports au Canada.

**10.** ____________ montagne est majestueuse.

**B Complète le dialogue avec le bon adjectif démonstratif *ce, cet, cette* ou *ces*.**

**Sidi :** Regarde ____________ affiche pour *Les pistes périlleuses*! Je veux voir ce film.

**Tamara :** Qui est ____________ acteur? On le voit partout ____________ année.

**Sidi :** C'est Arnold Johansen. Il n'est pas seulement acteur, mais aussi champion du monde de la planche à neige. Il est génial!

**Tamara :** Génial?! Moi, je n'aime pas ____________ films. Il y a trop de violence!

**Sidi :** Alors, qu'est-ce que tu veux voir ____________ soir?

**Tamara :** Je ne sais pas. Quelque chose de dramatique… *Le monstre des montagnes*?

# Le paradis du ski

**Écoute la conversation entre Mei et Jean-Louis. Complète les phrases avec les adjectifs démonstratifs (*ce* / *cet* / *cette* / *ces*) que tu entends. Ensuite, lis le dialogue à voix haute avec un ou une partenaire.**

**Mei :** Que fais-tu avec toutes ____________ brochures touristiques?

**Jean-Louis :** Je cherche la station de sports d'hiver idéale. Il y a un nouveau concours publicitaire ____________ année. On peut gagner un voyage pour deux vers la destination de son choix.

**Mei :** Et ____________ destination, comment vas-tu la choisir?

**Jean-Louis :** Voilà le problème! J'ai des renseignements sur quatre stations de sports d'hiver différentes. Je trouve ____________ quatre destinations formidables! Regarde ____________ brochures!

**Mei :** Oh là là! Écoute ____________ description : «Whistler-Blackcomb est la station idéale pour la planche à neige et le ski alpin...»

**Jean-Louis :** Mais toutes les quatre ont des pistes de ski alpin extraordinaires! ____________ article parle des activités au Lac Louise. Il y a le fameux lac avec sa couleur turquoise. Regarde ____________ photo!

**Mei :** Mais ____________ lac va être gelé et enneigé en hiver. Pourquoi pas le Mont Tremblant au Québec? ____________ endroit est magnifique. «Le ski alpin, le ski de fond, la planche à neige, la pêche sur glace : on trouve toutes ____________ activités d'hiver ici...»

**Jean-Louis :** Ou Marble Mountain à Terre-Neuve. ____________ région est très enneigée! Tu vois ____________ photos?

**Mei :** Tu vas vraiment t'amuser si tu gagnes ____________ concours!

**Jean-Louis :** Tu ne participes pas?

**Mei :** Mais non! Moi, je n'aime pas le froid. Je rêve de passer ____________ hiver en Australie!

# Une fin de semaine formidable!

**Utilise les mots utiles pour compléter la conversation. Ensuite, dessine la scène. Lis le texte à voix haute avec un ou une partenaire.**

**Juan :** Tu vas me raconter ta ___fin de semaine___ au Mont Tremblant?

**Natasha :** Bien sûr! Regarde cette ____________________.

**Juan :** Qui est cet ____________________?

**Natasha :** C'est le ____________________ de ski. Il est très patient.

**Juan:** Et cette ____________________ derrière vous, c'est le Mont Tremblant?

**Natasha :** C'est ça. Tu vois ces ____________________?

**Juan :** Ce sont des arbres? Mais ils sont complètement ____________________.

**Natasha :** Il y a 300 centimètres de neige cette ____________________.

**Juan:** C'est à toi, cette ____________________?

**Natasha :** Oui, mais elle n'est pas assez ____________________.

**Juan :** Moi, je préfère une planche ____________________ pour faire des sauts!

**MOTS UTILES**

- année
- arbres
- courte
- enneigés
- ✔ fin de semaine
- homme
- longue
- moniteur
- montagne
- photo
- planche à neige

→ LIVRE p. 73

# À ton tour

## Fêtez l'hiver au Mont Tonnerre!

**Écoute la publicité pour le Mont Tonnerre. Choisis la bonne forme des adjectifs qui conviennent dans les phrases.**

Êtes-vous fatigués de la vie en ville? Avez-vous besoin d'air pur et de neige ___________________ et ___________________? Venez découvrir la beauté ___________________ et ___________________ du Mont Tonnerre. ___________________ station est située dans les Laurentides, au Québec. Le Mont Tonnerre est idéal pour les vacances cet hiver. ___________________ ___________________ endroit est bien connu pour toutes les activités d'hiver : la planche à neige, le ski et tant d'autres. ___________________ centre est magnifique!

Pas sportif? Pas de problème! Le Mont Tonnerre offre plus que ___________________ activités. ___________________ année, notre charmant petit village est ___________________ de culture, avec un festival de musique ___________________ et une exposition de ___________________ sculptures de glace. Choisissez le Mont Tonnerre ___________________ hiver! Pour plus d'information sur ___________________ destination, contactez votre agent de voyages.

beau / bel / belles
blanc / blanche
ce / cet / cette / ces
frais / fraîche
majestueux / majestueuse
naturel / naturelle
plein / pleine
traditionnel / traditionnelle

→ LIVRE p. 73

# La tâche finale

**Crée une brochure ou une page Web pour une destination d'hiver. Inclus sur ta page Web ou dans ta brochure :**

- un logo et un slogan pour capter l'intérêt;
- une description des sports et des activités qu'on peut faire;
- une photo ou un dessin (ou plusieurs);
- les coordonnées (le numéro de téléphone, l'adresse, etc.);
- au moins quatre adjectifs irréguliers et quatre adjectifs démonstratifs.

**Ton logo**

# Mon auto-évaluation

**A**

| **Maintenant, je réussis à...** | **avec difficulté** | **avec peu de difficulté** | **assez bien** | **très bien** |
|---|---|---|---|---|
| parler d'endroits fascinants au Canada et à l'étranger. | ☐ | ☐ | ☐ | ☐ |
| parler de mes destinations et mes activités d'hiver préférées. | ☐ | ☐ | ☐ | ☐ |
| décrire comment les gens s'amusent en hiver. | ☐ | ☐ | ☐ | ☐ |
| parler des stations de sports d'hiver. | ☐ | ☐ | ☐ | ☐ |
| utiliser des adjectifs irréguliers. | ☐ | ☐ | ☐ | ☐ |
| utiliser les adjectifs démonstratifs *ce, cet, cette* et *ces*. | ☐ | ☐ | ☐ | ☐ |
| utiliser les mots de la même famille pour trouver le sens d'un nouveau mot. | ☐ | ☐ | ☐ | ☐ |
| créer une brochure ou une page Web pour la destination de mon choix. | ☐ | ☐ | ☐ | ☐ |

**B**

**1. Dans cette unité, j'ai beaucoup aimé...**

______________________________________________

______________________________________________

**2. Dans cette unité, je n'ai pas aimé...**

______________________________________________

______________________________________________

# Mon vocabulaire de base

**Note le vocabulaire important de cette unité.**

**1.** Pour décrire les activités que tu aimes faire...

aller au cinéma

**2.** Pour décrire la technologie adaptative...

un système infrarouge

**3.** Pour parler des habiletés différentes...

être malentendant(e)(s)

**4.** Et aussi...

# Un monde pour tout le monde

**Écoute les phrases suivantes. Choisis la bonne photo pour chaque activité aux pages 74 et 75 de ton livre. Mets la lettre correspondante.**

**1.** ☐ **3.** ☐ **5.** ☐

**2.** ☐ **4.** ☐

# Les cinq sens

**Regarde l'illustration. Utilise les mots utiles pour identifier chaque partie du corps et chaque sens.**

## MOTS UTILES

**Les parties du corps :**

la langue | la main | le nez | ✔ les oreilles | les yeux

**Les sens :**

le goût | l'odorat | ✔ l'ouïe | le toucher | la vue

→ LIVRE p. 76

# Sans frontières

COMPRENDS-TU?

**A** **Trouve un synonyme des mots suivants dans le texte *Sans frontières*.**

**EXEMPLE :** Au magasin : instrument ___appareil___

1. Au magasin : connaître ____________________
2. Au cinéma : monter (le volume) ____________________
3. Sur Internet : utile ____________________
4. Au téléphone : parler ____________________
5. Au lit : rapidement ____________________

**B** **Lis les phrases suivantes. Coche *vrai* ou *faux*.**

| | vrai | faux |
|---|---|---|
| **1.** Si tu es malvoyant(e), tu peux utiliser un appareil pour sentir des odeurs. | ☐ | ☐ |
| **2.** Si tu es malentendant(e), tu peux aller au cinéma comme tout le monde. | ☐ | ☐ |
| **3.** L'adaptateur braille peut lire un texte à voix haute aux aveugles. | ☐ | ☐ |
| **4.** Si tu es malentendant(e), tu ne peux pas appeler tes ami(e)s au téléphone. | ☐ | ☐ |
| **5.** Si tu es sourd(e), tu dois mettre un disque sous tes pieds pour te réveiller. | ☐ | ☐ |

**C** **Relis le texte *Sans frontières*. Choisis a), b) ou c) pour compléter les phrases.**

1. Avec un petit appareil spécial, une personne aveugle peut...
   **a)** «voir» la couleur de tous les objets. **b)** «voir» seulement la couleur de ses vêtements. **c)** trouver son chemin dans un centre commercial.
2. Quand une personne malentendante va au cinéma, elle utilise...
   **a)** un téléscripteur. **b)** un adaptateur braille. **c)** des écouteurs de système infrarouge.
3. Pour naviguer sur Internet, une personne aveugle a besoin...
   **a)** d'un adaptateur braille ou d'un logiciel sonore. **b)** d'un ami à côté de lui pour lire à voix haute. **c)** d'un ordinateur très spécial.
4. Pour parler au téléphone avec une personne sourde ou malentendante, on a besoin...
   **a)** d'un(e) téléphoniste, d'un téléscripteur et de deux téléphones. **b)** de deux téléphones cellulaires seulement. **c)** de parler très fort.
5. Une personne sourde ou malentendante se réveille toute seule grâce à...
   **a)** une lumière clignotante. **b)** un appareil qui vibre sous son oreiller. **c)** une autre personne dans la maison.

→ LIVRE p. 79

# Quel sens?

**Lis les phrases suivantes. Quelle partie du corps et quel sens sont associés avec chaque phrase?**

| | le verbe | la partie du corps | le sens |
|---|---|---|---|
| **Exemple :** J'écoute la radio. | écouter | les oreilles | l'ouïe |
| **1.** Je mange des bonbons. | ______ | ______ | ______ |
| **2.** Je regarde des photos. | ______ | ______ | ______ |
| **3.** Je touche la table. | ______ | ______ | ______ |
| **4.** Je sens la nourriture. | ______ | ______ | ______ |
| **5.** J'écoute une chanson. | ______ | ______ | ______ |
| **6.** Est-ce que tu penses que ce t-shirt est beau? | | ______ | ______ |
| **7.** Le chien est très doux. | | ______ | ______ |
| **8.** J'aime la musique. | | ______ | ______ |
| **9.** J'adore la pizza. | | ______ | ______ |
| **10.** Le dîner sent bon! | | ______ | ______ |

→ LIVRE p. 80

# Le futur proche

**aller (au présent)**

| | |
|---|---|
| je vais | nous ________ |
| tu ________ | vous allez |
| il va | ________ vont |
| ________ va | elles ________ |
| on________ | |

aller (au présent) + infinitif d'un verbe = futur proche

**Complète les phrases suivantes avec la bonne forme du verbe *aller* pour former le *futur proche.***

**Exemple :** Je __vais__ manger après l'école

1. Nous ____________ acheter le logiciel sonore ce soir.
2. Est-ce que tu ____________ attendre ton ami à la cafétéria?
3. Les filles ____________ chercher des livres en braille.
4. À quelle heure est-ce que vous ________________ rentrer?
5. Jacqueline ______________ choisir ses vêtements à l'aide d'un appareil qui annonce la couleur d'un objet.
6. Vous ____________ voir le spectacle.
7. Il ________________ porter des écouteurs au cinéma.
8. Je ne ________________ pas partir tout de suite.
9. Jean et Marc ne ________________ pas commencer le projet après l'école.
10. On ________________ partir à 16 h 30.

# Fais des phrases!

**A** **Mets les mots dans le bon ordre pour faire une phrase complète.**

**Exemple :** vont / à la / Ils / maison. / rester ______ *Ils vont rester à la maison.* ______

1. voir / cinéma. / Nous / au / allons / ce / film

______________________________

2. la / vêtements / ses / couleur / de / choisir / va / avec / appareil. / Julie / son

______________________________

3. devoirs / en braille. / leurs / faire / Les / élèves / vont

______________________________

4. avec / vas / Internet / l'adaptateur braille. / naviguer / Tu / sur

______________________________

5. grands-parents / vais / Je / téléphoner / à mes / soir. / ce

______________________________

______________________________

______________________________

**B** **Écris les phrases de la Partie A à la forme négative.**

**Exemple :** Ils vont rester à la maison. ______ *Ils ne vont pas rester à la maison.* ______

1. ______________________________

2. ______________________________

3. ______________________________

4. ______________________________

5. ______________________________

# Un samedi impossible!

**Écoute la conversation. Complète les phrases avec la bonne forme du verbe *aller* au *présent*. À deux, jouez les rôles des deux élèves. Utilisez ce dialogue comme modèle pour créer votre propre dialogue.**

**Paul :** Qu'est-ce que tu __________ faire samedi soir?

**Ben :** Je __________ voir un concert avec Asif.

**Paul :** Mais non! Asif __________ sortir avec Annick samedi soir.

**Ben :** Pas vrai! Annick et Mireille __________ étudier samedi soir.

**Paul :** Ha! Mireille et moi, nous __________ aller chez Mia pour regarder un film samedi soir.

**Ben :** Vous __________ voir Karim, alors! Il __________ être chez Mia samedi soir.

**Paul :** Qu'est-ce que tu racontes? Karim et sa famille __________ partir en vacances samedi matin.

**Ben :** Impossible! Karim et moi, on __________ déjeuner ensemble samedi matin.

**Paul :** Peut-être. Mais après, toi et moi, nous __________ magasiner pour acheter des agendas!

# Au futur proche?

**A** **Encercle le verbe à l'infinitif que tu entends dans chaque phrase.**

**Exemple :** sonner sentir (sortir)

| | | | |
|---|---|---|---|
| **1.** | rester | réveiller | rêver |
| **2.** | répondre | apprendre | comprendre |
| **3.** | partir | partager | participer |
| **4.** | célébrer | séparer | sentir |
| **5.** | annuler | annoncer | prononcer |
| **6.** | dire | demander | lire |
| **7.** | aller | arriver | avoir |
| **8.** | acheter | aller | arriver |
| **9.** | répondre | rentrer | regarder |
| **10.** | devoir | avoir | voir |

**B** **Écoute les phrases. Est-ce que l'action est au *présent* ou au *futur proche*? Coche la bonne case. Écris le sujet et le verbe.**

| | présent | futur proche | sujet et verbe |
|---|---|---|---|
| **Exemple :** | ☐ | ☑ | Je vais regarder... |
| **1.** | ☐ | ☐ | ______________ |
| **2.** | ☐ | ☐ | ______________ |
| **3.** | ☐ | ☐ | ______________ |
| **4.** | ☐ | ☐ | ______________ |
| **5.** | ☐ | ☐ | ______________ |

# Les questions au futur proche

**Qu'est-ce qu'on va faire en fin de semaine? Choisis cinq activités dans la liste. Utilise le futur proche et écris cinq questions. Pose tes questions à un ou une partenaire. Il ou elle doit répondre en phrases complètes. Écris ses réponses.**

**EXEMPLE :**

**Activité :** faire de la natation
**Question :** *Est-ce que tu vas faire de la natation?*
**Réponse :** *Oui, je vais faire de la natation.*

**1.** ______________________________

**Réponse :** ______________________________

**2.** ______________________________

**Réponse :** ______________________________

**3.** ______________________________

**Réponse :** ______________________________

**4.** ______________________________

**Réponse :** ______________________________

**5.** ______________________________

**Réponse :** ______________________________

écouter de la musique
écrire des courriels
faire de la bicyclette
de la planche à neige
de la planche à roulettes
la cuisine
des devoirs
jouer au football
au hockey
de la guitare
naviguer sur Internet
parler au téléphone
regarder la télévision

→ LIVRE p. 82

# Une carrière pas ordinaire

**A Mets les étapes de la préparation d'une prothèse dans le bon ordre.**

☐ Vince, le technicien, fabrique une prothèse permanente pour Laura, la cliente.

☐ Laura utilise un modèle pendant deux ou trois mois.

☐ Ann, la prothésiste, prépare un plâtre de la jambe.

☐ Laura discute de la prothèse avec un(e) médecin, un(e) physiothérapeute et avec Ann, une prothésiste.

☐ Quand Laura est plus à l'aise avec une prothèse, Ann, la prothésiste, prend des mesures de la jambe.

**B Trouve la définition de chaque mot. Mets la bonne lettre dans chaque case.**

☐ **1.** une prothèse

☐ **2.** multicolore

☐ **3.** un(e) technicien(ne) en prothèses

☐ **4.** fabriquer

☐ **5.** une carrière

**a)** quelqu'un qui fabrique des prothèses

**b)** créer ou construire

**c)** un appareil qui remplace une partie du corps

**d)** une profession

**e)** de couleurs variées

**C Réponds aux questions suivantes en phrases complètes.**

**1.** Pourquoi Paula fait-elle une entrevue avec Ann et Vince?

___

**2.** Comment choisit-on le type de pied?

___

**3.** Quelles sortes d'activités peut-on faire avec une prothèse?

___

**4.** Combien d'années d'études au collège faut-il pour devenir technicien(ne) en prothèses?

___

**5.** Quelle carrière dans le texte t'intéresse le plus?

___

→ **LIVRE** p. 85

# Une entrevue

**Deux élèves discutent de prothèses. Écoute la conversation. Complète les questions et les réponses avec les mots utiles. Ensuite, avec un ou une partenaire, lisez l'entrevue à voix haute.**

**Angela :** Comment ____________________-ils?

**Ryan :** Le ____________________ parle de la prothèse avec le client.

**Angela :** Est-ce que tous les clients ont la même sorte de ____________________?

**Ryan :** Non, chaque personne est différente. Le client utilise un ____________________ pendant deux ou trois mois.

**Angela :** Quand est-ce qu'ils ____________________ la prothèse permanente?

**Ryan :** Quand le ____________________ est plus à l'aise avec la prothèse.

**Angela :** Quels ____________________ le client choisit-il?

**Ryan :** Le client décide si la prothèse est assez confortable. Il choisit aussi la ____________________.

**Angela :** Peut-il faire toutes sortes d'____________________?

**Ryan :** Bien sûr! Avec une prothèse, on peut tout ____________________.

**Angela :** Veux-tu devenir ____________________ en prothèses ou prothésiste?

**Ryan :** Je veux être prothésiste, mais il faut ____________________ pendant plusieurs années!

**MOTS UTILES**

| | | | | | | |
|---|---|---|---|---|---|---|
| **Angela :** | activités | commencent | détails | fabriquent | prothèse | technicien |
| **Ryan :** | client | couleur | étudier | modèle | faire | prothésiste |

→ LIVRE p. 86

# Refais les questions!

**Refais les questions suivantes. Utilise l'inversion.**

**Exemple :** Est-ce que nous jouons au hockey?

Jouons-nous au hockey?

1. Est-ce que tu écris en braille?

2. Est-ce que vous allez finir vos devoirs?

3. Est-ce que tu écris ton nom sur la page?

4. Est-ce que nous faisons de la natation cette fin de semaine?

5. Est-ce que tu aimes écrire des courriels?

6. Est-ce que tu invites tes amis chez toi?

7. Est-ce qu'il va au centre-ville?

8. Est-ce qu'il aime parler au téléphone?

9. Est-ce que Georges va aller à la bibliothèque à pied?

10. Est-ce que Christiane va au cinéma?

# Quel pronom?

**Complète les phrases avec le bon pronom. Ensuite, refais chaque phrase avec *Est-ce que*.**

**Exemple :** Aimes-tu jouer de la guitare?
Est-ce que tu aimes jouer de la guitare?

1. Parlez-__________ au médecin?

   ______________________________

   ______________________________

2. Pierre va-t-__________ faire de la natation avec sa prothèse?

   ______________________________

3. Finissons-__________ nos devoirs avant de manger?

   ______________________________

4. Préfères-__________ le jaune ou le vert?

   ______________________________

5. Andrée et ses amies jouent-__________ au basket-ball?

   ______________________________

6. Avez-__________ une montre?

   ______________________________

7. Sais-__________ naviguer sur Internet?

   ______________________________

8. Lise fait-__________ de la planche à neige?

   ______________________________

9. Partons-__________ à 18 heures ou à 19 heures?

   ______________________________

10. Monsieur Dupré va-t-__________ venir avec nous?

    ______________________________

# L'inversion ou non?

**Écoute les questions. Est-ce que c'est l'inversion? Coche *oui* ou *non*.**
**Si c'est l'inversion, écris le verbe et le pronom.**

| | oui | non | verbe et pronom |
|---|---|---|---|
| **Exemple :** | ☑ | ☐ | Aimes-tu... |

| Inversion? : | oui | non | verbe et pronom |
|---|---|---|---|
| **1.** | ☐ | ☐ | ______________ |
| **2.** | ☐ | ☐ | ______________ |
| **3** | ☐ | ☐ | ______________ |
| **4.** | ☐ | ☐ | ______________ |
| **5.** | ☐ | ☐ | ______________ |
| **6.** | ☐ | ☐ | ______________ |
| **7.** | ☐ | ☐ | ______________ |
| **8.** | ☐ | ☐ | ______________ |
| **9.** | ☐ | ☐ | ______________ |
| **10.** | ☐ | ☐ | ______________ |

# La chaîne des lettres

**Trouve des mots français dans la chaîne des lettres.**

YEUXOREILLESINTERNETTOUCHERXRTODORATTECHNOLOGIEQRSENSSYSTÈMEINFRAROUGEBRIMALENTENDANTEFAVUEOUÏECINÉMAPUBRAILLEPROTHÈSETECHNICIEN

1. technologie
2. __________
3. __________
4. __________
5. __________
6. __________
7. __________
8. __________
9. __________
10. __________
11. __________
12. __________
13. __________
14. __________
15. __________

→ LIVRE p. 88

 

# Chanson : Un monde pour tout le monde

COMPRENDS-TU?

**A** **Lis la chanson à la page 89 de ton livre. Trouve les mots qui ressemblent à des mots en anglais. Attention! Il y a souvent des différences entre le français et l'anglais.**

1. ______________________
2. ______________________
3. ______________________
4. ______________________
5. ______________________
6. ______________________
7. ______________________
8. ______________________
9. ______________________
10. ______________________

**B** **Trouve dans la chanson les mots de la même famille pour chacun des mots suivants.**

**EXEMPLE :** mondial monde

1. le **commerce** ______________________
2. l'**amitié** ______________________
3. un **jeu** ______________________
4. un **écolier** ______________________
5. un **achat** ______________________

**C** **Lis les phrases suivantes. Coche *vrai* ou *faux*.**

| | vrai | faux |
|---|---|---|
| **1.** Une personne malvoyante peut acheter des vêtements toute seule. | ☐ | ☐ |
| **2.** Quelqu'un qui porte une prothèse peut participer à des événements sportifs. | ☐ | ☐ |
| **3.** Une personne en fauteuil roulant n'est pas capable de faire du sport. | ☐ | ☐ |
| **4.** Une personne sourde ne peut pas communiquer au téléphone. | ☐ | ☐ |
| **5.** Une personne malentendante peut aller au cinéma. | ☐ | ☐ |

→ LIVRE p. 90

# Masculin ou féminin?

**Lis les phrases suivantes. Détermine si la destination est au masculin ou au féminin, et si elle commence par une voyelle. Coche les bonnes cases.**

| | masculin | féminin | voyelle |
|---|---|---|---|
| **Exemple :** Je vais rester à l'**école** cet après-midi. | ☐ | ☑ | ☑ |
| **1.** Je vais aller au **restaurant** avec mes parents. | ☐ | ☐ | ☐ |
| **2.** Nous n'allons pas aller à la **banque**. | ☐ | ☐ | ☐ |
| **3.** Est-ce que tu vas faire l'épicerie au **supermarché**? | ☐ | ☐ | ☐ |
| **4.** Non, je ne vais pas revenir du **bureau** avant 5 h 30. | ☐ | ☐ | ☐ |
| **5.** Marcel va arriver à l'**aéroport**. | ☐ | ☐ | ☐ |
| **6.** Les élèves vont sortir de la **classe** de braille à midi. | ☐ | ☐ | ☐ |
| **7.** Quand vas-tu travailler au **magasin**? | ☐ | ☐ | ☐ |
| **8.** Vous allez partir de l'**école** à 4 heures. | ☐ | ☐ | ☐ |
| **9.** Elle ne va pas manger au **bistro**. | ☐ | ☐ | ☐ |
| **10.** Oui, ils vont faire des recherches à l'**aquarium**. | ☐ | ☐ | ☐ |

→ LIVRE p. 91

# Planifier, c'est compliqué!

**Écoute la conversation. Complète le dialogue avec les prépositions *à* et *de* et les articles *le, la* ou *l'*. Attention! Il y a aussi les contractions *au* et *du*. Regarde les mots utiles. Avec un ou une partenaire, lisez la conversation à voix haute. Ensuite, utilisez ce dialogue comme modèle pour créer votre propre dialogue.**

**Guy :** On doit étudier pour l'examen! Est-ce que tu vas aller ____________ bibliothèque après l'école demain?

**Marie :** Je ne peux pas, je vais faire ____________ natation demain. Je vais partir ____________ école à 15 heures.

**Guy :** Et tu vas partir ____________ piscine à quelle heure?

**Marie :** À 16 heures. Mais je dois passer prendre mon cousin ____________ aéroport.

**Guy :** C'est parfait. Nous pouvons aller ____________ restaurant avec ton cousin.

**Marie :** Mais non. On va rentrer ____________ maison pour manger avec ma famille à 19 heures.

**Guy :** Et moi, je vais aller ____________ cinéma à 20 heures.

**Marie :** Et c'est certain que tu ne vas pas sortir ____________ cinéma avant 22 heures. C'est compliqué, planifier!

**Guy :** J'ai une idée! Demain midi, on peut aller ____________ cafétéria ensemble.

**Marie :** C'est parfait! On peut manger et étudier en même temps. À demain, alors!

**Guy :** Étudier? Ah oui, l'examen! À demain!

## MOTS UTILES

| | | | | |
|---|---|---|---|---|
| l'aéroport | la bibliothèque | la cafétéria | le cinéma | l'école |
| la maison | la natation | la piscine | le restaurant | |

# Une journée occupée

**Planifie une journée entière au *futur proche*. Utilise les verbes *partir* et *sortir* avec la préposition *de*, et le verbe *aller* avec la préposition *à*. Tu peux utiliser les endroits sur la fiche que ton ou ta professeur(e) te donne et la page 97 de ton cahier.**

**à + le = au** **à + les = aux** **de + le = du** **de + les = des**

**Exemple :**

**9 h 00** Je vais sortir de la maison et je vais aller au parc.

**11 h 00** Je vais partir du parc et je vais aller au centre commercial.

**13 h 00** Je vais sortir du centre commercial et je vais aller à la patinoire.

9 h 00 Je ______________________ et je ______________________.

11 h 00 Je ______________________ et je ______________________.

13 h 00 Je ______________________ et je ______________________.

15 h 00 Je ______________________ et je ______________________.

17 h 00 Je ______________________ et je ______________________.

→ LIVRE p. 93

# La tâche finale

**Prépare ton entrevue. Rassemble tous les éléments de ton projet.**

1. Réponds aux questions de ton ou ta partenaire sur ta feuille de papier.

2. Sur une autre feuille de papier, écris le brouillon de ta description complète, de 15 à 20 phrases. Utilise le futur proche et les contractions.

3. Révise ta description avec ton ou ta partenaire. Fais des corrections ou des changements, si c'est nécessaire.

4. Écris la version finale de la description de ton invention.

5. Prépare un dessin de ton invention. Identifie les caractéristiques.

6. Prépare une entrevue au sujet de ton invention avec ton ou ta partenaire. Utilise l'information de la description de ton invention pour répondre aux questions.

# Mon auto-évaluation

## A

| Maintenant, je réussis à... | avec difficulté | avec peu de difficulté | assez bien | très bien |
| --- | --- | --- | --- | --- |
| parler des activités que j'aime faire avec mes ami(e)s. | ☐ | ☐ | ☐ | ☐ |
| parler de la technologie disponible pour les personnes qui vivent avec une habileté différente. | ☐ | ☐ | ☐ | ☐ |
| utiliser les verbes au futur proche. | ☐ | ☐ | ☐ | ☐ |
| poser des questions avec l'inversion. | ☐ | ☐ | ☐ | ☐ |
| utiliser les prépositions *à* et *de* avec un article défini (*le*, *la*, *l'* ou *les*). | ☐ | ☐ | ☐ | ☐ |
| trouver les mots qui ressemblent à l'anglais pour bien comprendre un texte. | ☐ | ☐ | ☐ | ☐ |
| décrire une invention qui aide une personne à vivre avec une habileté différente. | ☐ | ☐ | ☐ | ☐ |

## B

**1. Dans cette unité, j'ai beaucoup aimé...**

_______________________________________________

_______________________________________________

**2. Dans cette unité, je n'ai pas aimé...**

_______________________________________________

_______________________________________________

# Mon vocabulaire de base

**Note le vocabulaire important de cette unité.**

**1.** Pour décrire les différentes parties d'une caverne...

une salle ____________________ ____________________

____________________ ____________________

**2.** Pour décrire l'équipement de la spéléologie...

des bottes ____________________ ____________________

____________________ ____________________

**3.** Pour décrire les choses qu'on trouve dans les grottes ou les cavernes...

des ossements ____________________ ____________________

____________________ ____________________

**4.** Pour décrire les actions...

partir ____________________ ____________________

____________________ ____________________

**5.** Et aussi...

____________________ ____________________

____________________ ____________________

# Une aventure souterraine

**A Écoute bien. Complète les phrases avec les bons mots. Utilise les mots utiles.**

Kendra : Jonathan et moi explorons la ______________________ de Saint-Elzéar.

Jonathan : C'est quoi ce bruit!?

Kendra : C'est de l' ______________________ qui coule.

Jonathan : Brrr! Il fait ______________ et ______________ dans la grotte.

Kendra : Un autre mot pour «grotte» est «______________________».

Jonathan : Des ______________-______________ vivent dans la grotte.

Kendra : Les ossements sont de vieux ______________________.

Kendra : Je vois une ______________________ au plafond.

Jonathan : Les stalactites sont des ______________________ naturelles.

Kendra : Quelle ______________________ extraordinaire!

**MOTS UTILES**

| | | | | |
|---|---|---|---|---|
| aventure | chauves-souris | formations | grotte | squelettes |
| caverne | eau | froid | noir | stalactite |

**B Écoute bien. Complète les phrases avec les bons mots. Utilise les mots utiles.**

1. Il faut porter des ______________________.
2. Et de bonnes ______________________ pour protéger nos pieds.
3. N'oubliez pas le ______________________.
4. Avec une ______________________ pour voir dans le noir.
5. Voici l' ______________________ nécessaire pour faire de la spéléologie.

**MOTS UTILES**

| | | | | |
|---|---|---|---|---|
| bottes | gants | chaussures | bas | lumière |
| équipement | lampe | équipage | casque protecteur | casquette |

→ LIVRE p. 96

# Sous terre, c'est super!

**Relis le texte *Sous terre, c'est super!* aux pages 96 à 99 de ton livre. Réponds aux questions suivantes en phrases complètes.**

**1.** Où se trouve la grotte de Saint-Elzéar?

_______________________________________________.

**2.** Depuis quand la grotte de Saint-Elzéar existe-t-elle?

_______________________________________________.

**3.** Quelle est la température dans la grotte?

_______________________________________________.

**4.** Qu'est-ce qu'un spéléologue porte sur la tête?

_______________________________________________.

**5.** Quelle est la profondeur du puits?

_______________________________________________.

**6.** Quelles formations naturelles peut-on voir dans une caverne?

_______________________________________________.

**7.** Quelle espèce d'animal habite dans la grotte de Saint-Elzéar?

_______________________________________________.

**8.** Depuis quand les ossements sont dans la caverne?

_______________________________________________.

**9.** Pourquoi penses-tu qu'il y a beaucoup d'humidité dans une caverne?

_______________________________________________.

**10.** Pourquoi est-il important d'avoir un ou une partenaire quand on part en expédition de spéléologie?

_______________________________________________.

→ **LIVRE** p. 99

# Partir et sortir

**partir**

| | |
|---|---|
| je pars | nous ________ |
| tu ________ | vous partez |
| il part | _____ partent |
| _____ part | elles ________ |
| on part | |

**sortir**

| | |
|---|---|
| _____ sors | nous sortons |
| tu sors | vous ________ |
| _____ sort | ils ________ |
| elle ________ | _____ sortent |
| on sort | |

## A Complète les phrases suivantes avec la bonne forme du verbe entre parenthèses.

**Exemple :** Je ___pars___ en vacances. (partir)

1. Nous ____________________ à l'aventure. (partir)
2. Mes parents ____________________ cette fin de semaine. (sortir)
3. Est-ce que tu ____________________ avec ta sœur ce soir? (sortir)
4. Le groupe ____________________ en expédition de spéléologie. (partir)
5. Vous ____________________ au Québec cet été. (partir)

## B Mets les phrases de la Partie A à la forme négative.

1. ____________________________________________
2. ____________________________________________
3. ____________________________________________
4. ____________________________________________
5. ____________________________________________

# Le bon pronom

**A** **Choisis le bon pronom pour remplacer le sujet. Réponds aux questions suivantes avec un ou une partenaire. Une personne pose la question, et l'autre personne répond à la forme affirmative.**

**Exemple :** Est-ce que *Michelle et Denis* arrivent à 17 heures? (nous, **ils**, vous)
Oui, ils arrivent à 17 heures.
et
Non, ils n'arrivent pas à 17 heures.

1. Est-ce que *vous et moi* étudions ensemble ce soir? (je, nous, ils)
2. Est-ce que *Nathan et ses amis* vont à la grotte de Saint-Elzéar? (ils, nous, vous)
3. Est-ce que *les visiteurs* entrent dans la grotte? (ils, vous, elles)
4. Est-ce que *toi et moi* allons visiter les cavernes? (nous, ils, elles)
5. Est-ce que *Kendra et Nadia* achètent ces cartes postales? (ils, elles, tu)

**B** **Répète l'activité une deuxième fois, et répond à la forme négative.**

# Le bon verbe

**Complète chaque phrase avec la bonne forme du verbe.**

**Exemple :** Toi et moi, nous ___écoutons___ la radio. (**écoutons**, écoutez, écoutent)

1. Jonathan et Kendra ____________________ des bottes. (porte, portes, portent)
2. Est-ce que Simon ____________________ l'équipement nécessaire? (avons, ont, a)
3. Tes amis et toi, vous n'____________________ pas dans le puits. (allez, va, allons)
4. Toi et moi, nous ____________________ invités à participer à une expédition. (êtes, sommes, sont)
5. Les chauves-souris ____________________ dans la grotte. (voles, volent, vole)

# Quel verbe?

**Complète les phrases suivantes. Utilise la bonne forme de *partir* ou *sortir*. Attention! Les verbes *partir* et *sortir* se ressemblent, mais ils n'ont pas toujours le même sens!**

**1.** André et Sam ______________________________ ce soir. Ils vont voir un film.

**2.** Je ______________________________ pour l'école à 8 heures du matin.

**3.** Raj et Marie-Andrée ______________________________ en France pour les vacances.

**4.** Notre classe ______________________________ pour la grotte de Saint-Elzéar demain.

**5.** Le lemming d'Ungava n'aime pas ______________________________ quand il pleut.

**6.** Il neige enfin! Je vais ______________________________ mes skis de fond.

**7.** Le train ______________________________ à 11 heures.

**8.** Ma mère et moi, nous ______________________________ en expédition de spéléologie.

**9.** Le chien veut ______________________________. Ouvre la porte, s'il te plaît.

**10.** Les canards et les autres oiseaux ______________________________ vers le sud pour l'hiver.

**11.** Au printemps l'ours et la chauve-souris ______________________________ de leurs cavernes.

**12.** L'avion ne peut pas ______________________________ à cause de la neige.

**13.** Nous ______________________________ de la grotte à 3 heures et l'autobus ______________________________ à 3 h 10.

**14.** C'est la fête de Luc. Je ______________________________ avec lui samedi.

**15.** ______________________________ du puits! Tu dois aller au centre d'interprétation.

**16.** Tu dois arriver à 9 heures, alors ______________________________ à 8 h 30.

**17.** ______________________________ de l'école. Nous allons jouer dehors.

**18.** Nous retournons à l'école en autobus. ______________________________ après la visite.

**19.** Si vous voulez faire une visite, ______________________________ avec la guide.

**20.** ______________________________ de la classe et allez au gymnase.

# Conversation de spéléo

**A Écoute bien. Encercle le mot que tu entends dans chaque phrase.**

**Exemple :**

| | | | |
|---|---|---|---|
| | sort | sortez | (sortons) |
| **1.** | partez | partons | pars |
| **2.** | grand | gros | grotte |
| **3.** | neveu | n'est-ce pas | nécessaire |
| **4.** | bottes | boutons | bras |
| **5.** | sortez | sortir | sortent |

**B Écoute la conversation entre la guide et les deux élèves, Jonathan et Kendra. Encercle la lettre qui complète une phrase de la conversation.**

**1.** Vous aimez...
**a)** le sport?
**b)** la spéléologie?

**2.** Kendra et moi trouvons beaucoup...
**a)** de choses intéressantes dans les grottes.
**b)** d'ossements intéressants dans les grottes.

**3.** Il y a...
**a)** les grandes salles et le puits.
**b)** de grandes et de petites salles.

**4.** Il y a...
**a)** des lemmings et des chauves-souris.
**b)** les animaux et les ossements.

**5.** Et il ne faut pas oublier...
**a)** les vieux vêtements chauds, les gants et les bottes!
**b)** d'apporter des aliments dans la grotte.

# Des phrases complètes

**Relie les deux colonnes pour former des phrases complètes.**

**1.** Les chauves-souris

**2.** Est-ce que tes amis et toi

**3.** Toi et moi

**4.** Est-ce que la guide

**5.** Les ossements

**a)** partons à 16 heures.

**b)** sont de vieux squelettes.

**c)** ne vont pas vous attaquer.

**d)** explorez la grotte de Saint-Elzéar?

**e)** sort de la grotte avec le groupe?

→ **LIVRE** p. 102

# À ton tour

**Avec un ou une partenaire, écrivez quatre phrases pour décrire une grotte. Utilisez les mots utiles et les verbes suivants. Demandez à deux autres élèves de corriger vos phrases.**

**Exemple :** J'entends de l'eau qui coule.

## Les sens

Je vois...

J'entends...

Je touche...

Je sens...

**MOTS UTILES**

des bruits
une chauve-souris
de l'eau qui coule
des ossements
des roches
des sons
un squelette
des stalactites
des stalagmites
de la terre humide
des voix

**1.** ______________________________

**2.** ______________________________

**3.** ______________________________

**4.** ______________________________

→ **LIVRE** p. 102

# Quelle expérience!

**Écoute le paragraphe suivant. Complète le paragraphe avec les mots utiles. Dessine la scène. Ajoute trois autres choses de ton choix.**

Mes amis et moi visitons ______________________. Nous portons des casques protecteurs avec ______________________. Nous portons aussi ______________________ et ______________________. Dans la caverne, il y a un groupe de ______________________ au plafond. Nous voyons des stalactites et ______________________. Il y a ______________________ qui coule dans la grotte. Oh là là! Qu'est-ce que c'est? Il y a ______________________ par terre! Quelle expérience ______________________! ______________________ et moi sommes contents de notre visite.

**MOTS UTILES**

| | | |
|---|---|---|
| Mes amis | des bottes | de l'eau |
| une caverne | chauves-souris | extraordinaire |
| des lampes | des ossements | des stalagmites |
| | | des vêtements chauds |

→ LIVRE p. 103

# La tâche finale

DESSINONS! ÉCRIVONS! PARLONS!

**A** **Votre ami(e) est perdu(e) dans une grotte! Aidez votre ami(e) à en sortir. En groupes, sur une feuille, dessinez le plan d'une grotte avec quatre salles.**

**B** **Pour chaque salle, sur une feuille, écrivez trois phrases simples et deux phrases composées pour décrire la salle et l'action de votre ami(e). Utilisez les mots utiles et le modèle à la page 103 de votre livre.**

**Exemple :** Tu vois des roches et des chauves-souris. Tu es dans la Petite Salle. Sors de la salle et avance vers le tunnel. Descends le tunnel et tourne à droite. Entre dans la Salle des squelettes et regarde les ossements.

## MOTS UTILES

**Les directives**

| | | | |
|---|---|---|---|
| arrête | avance | continue | descends |
| marche | monte | part | recule |
| sors | tourne à droite | tourne à gauche | traverse |

**Les choses**

| | | | |
|---|---|---|---|
| des chauves-souris | de l'eau | un os | des ossements |
| des roches | un squelette | des stalactites | des stalagmites |

**Les salles**

| | |
|---|---|
| la Grande Salle | la salle des ours |
| la Salle des lemmings d'Ungava | la salle des animaux |
| la Petite Salle | la Salle des squelettes |

**C** **Demandez à un autre groupe de corriger vos phrases.**
**Faites les corrections nécessaires.**
**Ensuite, présentez le plan de votre grotte à la classe.**

# Mon auto-évaluation

## A

| **Maintenant, je réussis à...** | **avec difficulté** | **avec peu de difficulté** | **assez bien** | **très bien** |
|---|---|---|---|---|
| parler d'un monde souterrain extraordinaire. | ☐ | ☐ | ☐ | ☐ |
| décrire ce qu'il y a dans une grotte ou une caverne. | ☐ | ☐ | ☐ | ☐ |
| utiliser les verbes irréguliers *partir* et *sortir.* | ☐ | ☐ | ☐ | ☐ |
| faire l'accord du verbe quand il y a deux sujets dans une phrase. | ☐ | ☐ | ☐ | ☐ |
| regarder les photos et les illustrations pour bien comprendre un texte. | ☐ | ☐ | ☐ | ☐ |
| dessiner le plan d'une caverne et à décrire les salles. | ☐ | ☐ | ☐ | ☐ |

## B

**1. Dans cette unité, j'ai beaucoup aimé...**

______________________________________________

______________________________________________

**2. Dans cette unité, je n'ai pas aimé...**

______________________________________________

______________________________________________

# Mon vocabulaire de base

**Note le vocabulaire important de cette unité.**

1. Les matériaux de construction
   la pierre

2. Les types de constructions
   un condominium

3. Les adjectifs qui décrivent des constructions
   gracieux / gracieuse(s)

4. Les personnes qui font des constructions
   un / une architecte

5. Et aussi...

 

# Tout est possible...

**A** **Lis les descriptions. Écoute bien.**
**Écris la lettre qui correspond à chaque description.**

**1.** ☐ Le plan d'un architecte

**2.** ☐ Le dessin d'une ingénieure

**3.** ☐ La maquette d'un condominium

**4.** ☐ Le dessin d'une maison imaginaire

**5.** ☐ Le dessin d'une cour de récréation

**B** **Écoute bien. Encercle les mots que tu entends.**

**1.** habit / habitations / habiter

**2.** construire / constructif / la construction

**3.** le complexe / la complexité / compliqué

**4.** l'architecture / les architectes / architectural

**5.** un mode / modeler / modèle

**6.** une structure / structurer / structuraux

**7.** le dessin / dessine / dessiner

**8.** un plan / planifier / la planification

**9.** le génie / les ingénieurs / ingénieux

**10.** détail / détaillant / détaillé

**11.** le matériel / la matière / des matériaux

**12.** solide / la solidité / solidifier

**13.** récréatif / récréation / récréer

**14.** la création / créatif / créer

**15.** présent / présente / une présentation

→ LIVRE p. 106

# Des constructions à travers le monde

COMPRENDS-TU?

**Relis le texte. Réponds aux questions suivantes.**

1. Où sont les pyramides les plus connues au monde?

   ______________________________

2. Quelle est la fonction des pyramides?

   ______________________________

3. Depuis combien d'années est-ce que la pyramide de Huaca Larga existe?

   ______________________________

4. Quelle est la première fonction de la Grande Muraille de Chine?

   ______________________________

5. Quelle est la fonction principale de la Grande Muraille maintenant?

   ______________________________

6. Comment s'appelle la roche volcanique de la région de la Cappadoce?

   ______________________________

7. Depuis combien d'années les gens habitent-ils les villes creusées de la Cappadoce?

   ______________________________

8. De quel style est le Centre Georges Pompidou?

   ______________________________

9. De quels matériaux est fait le Centre Georges Pompidou?

   ______________________________

10. Quelle est une des fonctions du Centre Georges Pompidou?

    ______________________________

11. De quels matériaux est-ce que la tour CN est faite?

    ______________________________

12. Comment est-ce qu'on monte aux centres d'observation de la tour CN?

    ______________________________

13. Quel type de pont est le pont Akashi?

    ______________________________

14. Combien de voies a l'autoroute du pont Akashi?

    ______________________________

15. Combien de mètres le pont Akashi mesure-t-il?

    ______________________________

# Questions et opinions

**A Réponds aux questions suivantes en phrases complètes.**

**1.** Dans le texte *Des constructions à travers le monde*, quelle construction veux-tu visiter en premier? Pourquoi?

__________________________________________________________

__________________________________________________________

__________________________________________________________

**2.** Quelle construction est la plus ancienne?

__________________________________________________________

**3.** À ton avis, quelle construction est la plus utile? Pourquoi?

__________________________________________________________

__________________________________________________________

__________________________________________________________

**4.** Quelle construction est la plus moderne?

__________________________________________________________

**5.** Quelle est la caractéristique la plus importante d'une construction, sa fonction ou sa forme? Pourquoi?

__________________________________________________________

__________________________________________________________

__________________________________________________________

**B Pose les questions de la Partie A à un ou une partenaire. Ensuite, changez de rôle.**

→ LIVRE p. 109

# Mots cachés

**Trouve les mots cachés en caractères gras. Mets les lettres qui restent de gauche à droite et écris la construction-mystère.**

| E | U | Q | I | T | S | I | R | E | T | C | A | R | A | C | L | E | E |
|---|---|---|---|---|---|---|---|---|---|---|---|---|---|---|---|---|---|
| S | L | O | N | G | U | E | U | R | E | G | N | O | L | L | A | U | R |
| F | O | N | D | A | T | I | O | N | E | I | O | V | V | A | I | G | U |
| L | S | C | U | L | P | T | E | R | R | P | I | E | R | R | E | O | E |
| U | L | E | S | E | T | S | I | R | U | T | U | F | C | G | R | L | S |
| D | E | C | O | R | E | R | E | C | E | S | U | S | B | E | T | O | N |
| N | A | L | P | H | A | U | T | E | T | E | E | M | C | U | E | E | E |
| E | A | C | I | E | R | S | N | N | A | R | D | A | O | R | E | H | C |
| P | Y | R | A | M | I | D | E | T | L | R | O | R | N | E | I | C | S |
| S | E | L | A | E | V | C | M | R | A | A | V | C | E | A | R | R | A |
| U | S | E | P | T | R | P | I | E | C | C | E | H | H | I | E | A | U |
| S | C | U | C | A | E | E | C | L | S | S | R | E | A | E | L | D | T |
| T | A | Q | A | L | S | O | N | Y | E | E | R | R | E | T | A | E | O |
| N | L | I | N | O | I | T | A | T | O | R | E | N | O | I | G | E | R |
| O | I | R | O | R | U | O | T | S | R | T | O | M | B | E | C | E | O |
| P | E | B | N | N | O | I | S | O | R | E | G | N | A | R | E | D | U |
| E | R | R | E | T | E | D | T | N | E | M | E | L | B | M | E | R | T |
| E | U | Q | I | N | A | C | L | O | V | N | O | I | T | P | U | R | E |

l'**acier**
**allonger**
un **archéologue**
un **ascenseur**
une **autoroute**
le **béton**
une **brique**
un **canon**
une **caractéristique**
un **centre**
le **ciment**
un **cône**
**décorer**
**déranger**
l'**entrée**
l'**érosion**
une **éruption volcanique**
un **escalateur**
un **escalier**
la **fondation**
**futuriste**
une **galerie**
**haut**
la **largeur**
la **longueur**
la **marche**
le **métal**
**mètres carrés**
la **pierre**
un **plan**
un **pont suspendu**
une **pyramide**
une **région**
**relier**
la **roche**
une **rotation**
**sculpter**
**servir**
le **style**
la **terre**
une **tombe**
une **tour**
un **tremblement de terre**
le **verre**
une **voie**

**Construction-mystère :**

___ ___ ___   ___ ___ ___ ___ ___ ___

___ ___ ___ ___ ___ ___ ___ ___ ___ ___   ___ ___   ___ ___

___ ___ ___ ___ ___ ___ ___ ___ ___ ___ .

→ LIVRE p. 110

# Trouve la réponse!

**A Complète les phrases suivantes avec le bon adjectif démonstratif (*ce, cet, cette, ces*).**

**Exemple :** Qui est l'architecte de _ce_ beau bâtiment?

1. Tu vois ________________ tour? C'est la construction la plus haute de la ville.
2. Je veux prendre une photo de ________________ pyramides.
3. ________________ ascenseur monte jusqu'à la galerie d'observation.
4. ________________ pont mesure 3 000 mètres.
5. On descend ________________ escalier pour sortir de l'édifice en cas d'urgence.

**B Utilise des mots pour écrire les réponses aux questions suivantes. Tu peux utiliser des chiffres pour faire tes calculs sur une feuille de papier.**

**Exemple :**
quatre cent cinquante et un – cent soixante-treize = *deux cent soixante-dix-huit*
451 – 173 = 278

1. six cents – deux cent trente-neuf = ________________________________
2. cent quatre-vingt-un + trois cent dix-neuf = ________________________________
3. cinq cent soixante et onze – soixante et onze = ________________________________
4. quatre cent vingt + cinq cent quatre-vingts = ________________________________
5. neuf cent quarante-deux – deux cent trois = ________________________________
6. cent treize + sept cent cinquante = ________________________________
7. huit cents – quatre-vingt-dix-neuf = ________________________________
8. un + deux cent quatorze = ________________________________
9. mille – neuf cent quatre-vingt-dix-neuf = ________________________________
10. soixante-deux + quatre-vingts = ________________________________

# Habitat '67

**Écoute bien. Complète les phrases sur Habitat '67 de Moshe Safdie avec les nombres que tu entends.**

En 1967, l'Exposition universelle a lieu à Montréal. Le thème de l'exposition est «Terre des hommes.» Pour créer une habitation moderne qui représente ce thème, on choisit Moshe Safdie, un jeune architecte de ________ ans. Avec Habitat '67, Safdie réalise la construction de ses rêves.

Son plan original est un complexe géant de ________ appartements, un hôtel de ________ chambres, deux écoles et un centre commercial. Mais ce plan est trop ambitieux pour le budget de l'exposition. Safdie réduit le plan à un complexe de ________ appartements.

La construction du projet prend ________ mois. On fabrique ________ cubes d'acier et de béton pour créer les ________ appartements. Chaque cube pèse entre ________ et ________ tonnes. Avec ces cubes on peut assembler ________ styles d'appartements différents. Le plus petit est un appartement de ________ mètres carrés avec une chambre. Le plus grand est un appartement de ________ mètres carrés avec ________ chambres. Safdie utilise les toits des cubes pour créer des espaces verts. Chaque appartement a un jardin de ________ mètres carrés.

Le résultat est Habitat '67, un complexe ultra-moderne qui ressemble à une sculpture. Pendant l'Exposition universelle, ________ millions de visiteurs apprécient ce beau complexe.

→ LIVRE p. 112

# À ton tour

**Prépare une présentation de 15 phrases (minimum) sur ta construction favorite dans le texte *Des constructions à travers le monde*. Utilise ce plan pour préparer ta présentation. Écris tes phrases sur une feuille de papier.**

- Ma construction favorite est...
- Cette construction mesure...
- Elle sert de...
- Elle est faite de...
- Voici quelques faits intéressants sur cette construction : ...
- Je préfère cette construction parce que...

# À la tâche

**Avec ton ou ta partenaire, répondez aux questions en phrases complètes pour décrire votre construction.**

**1.** Qu'est-ce que vous construisez?

______________________________________________

______________________________________________

**2.** Quelle est la fonction de votre construction?

______________________________________________

______________________________________________

**3.** Où faites-vous votre construction?

______________________________________________

______________________________________________

**4.** Avec quels matériaux faites-vous votre construction?

______________________________________________

______________________________________________

**5.** Quelles sont les dimensions de votre construction?

______________________________________________

______________________________________________

→ LIVRE p. 113

# Des constructions inspirées de la nature

COMPRENDS-TU?

**A Relis le texte et complète le tableau suivant.**

| Constructions | Durée de construction |
|---|---|
| L'Opéra de Sydney | ______________ |
| Les tours jumelles Petronas | ______________ |
| Les bouches de métro à Paris | ______________ |
| Le barrage Hoover | ______________ |
| Le pont suspendu Capilano | ______________ |

**B À ton avis, quelle est la fonction des constructions suivantes?**

**1.** Les Australiens vont à l'Opéra de Sydney pour...
a) regarder les œuvres d'art. b) glisser sur le toit. c) voir des spectacles.

**2.** Les tours jumelles Petronas sont...
a) un musée. b) un complexe de milliers de bureaux. c) un hôtel gigantesque.

**3.** Les Parisiens et les touristes utilisent le métro de Paris...
a) pour aller au travail ou pour visiter la ville. b) pour aller en Angleterre. c) pour faire du sport.

**4.** Le barrage Hoover...
a) produit de l'électricité. b) est une maison de castors. c) est construit avec des branches.

**5.** Les gens passent sur le pont suspendu Capilano...
a) pour travailler. b) pour traverser la rivière Capilano. c) parce qu'ils ont peur.

**C Quelles sont tes deux constructions préférées? Pourquoi?**

______________________________________________

______________________________________________

______________________________________________

______________________________________________

______________________________________________

→ LIVRE p. 116

# La bonne forme...

**A Choisis la bonne forme de l'adjectif pour compléter chaque phrase.**

1. Les barrages de castors sont de belles constructions _______________ en bois. (naturel / naturelle / naturels / naturelles)
2. Le barrage Hoover est un _______________ barrage de ciment. (gros / grosse / gros / grosses)
3. L'architecte Hector Guimard a créé la forme _______________ des bouches de métro à Paris. (gracieux / gracieuse / gracieux / gracieuses)
4. Le pont suspendu Capilano dans la photo n'est pas le _______________ pont construit à cet endroit. (premier / première / premiers / premières)
5. Des frères _______________ visitent les tours _______________ à Kuala Lumpur. (jumeau / jumelle / jumeaux / jumelles)

**B Choisis la bonne forme de l'adjectif. Écris la phrase et mets l'adjectif avant ou après le nom en caractères gras.**

**Exemple :** Le Centre Georges Pompidou est une **construction**. (intéressant / intéressante / intéressants / intéressantes)

Le Centre Georges Pompidou est une **construction intéressante**.

1. Le **métro** de Paris existe depuis plus de cent ans. (beau / belle / beaux / belles)

   ______________________________________________

2. C'est grâce aux **idées** des castors que nous avons des barrages de ciment aujourd'hui. (ingénieux / ingénieuse / ingénieux / ingénieuses)

   ______________________________________________

   ______________________________________________

3. Le **pont** Capilano date de 1956. (dernier / dernière / derniers / dernières)

   ______________________________________________

4. On a utilisé une **quantité** d'acier, de verre et de ciment pour construire les tours jumelles Petronas. (grand / grande / grands / grandes)

   ______________________________________________

   ______________________________________________

5. Cet **édifice** est fait de métal et de béton. (énorme / énormes)

   ______________________________________________

# Des descriptions

**A Complète les phrases pour décrire les constructions.**

**1.** Ce ______ arrondi aide les gens à traverser la __________ rivière. C'est une construction très __________.

(ancienne / petite / pont)

**2.** Cette __________ est très connue. C'est la __________ tour penchée de Pise en Italie. La base de la tour est construite sur une surface pas très __________ : du sable.

(solide / tour / vieille)

**3.** Ce bâtiment contient beaucoup d'____________________. On trouve ce type de construction surtout dans les __________ villes parce qu'il y a moins de place pour construire de __________ maisons.

(appartements / grandes / nouvelles)

**4.** Ce __________ inukshuk est fait de __________ pierres. Cette construction indique le __________ chemin à suivre.

(bel / bon / grosses)

**5.** Cette construction est inspirée de formes ____________________. Elle ressemble à la lune, au soleil, à une orange... Ce __________ peut être très petit ou très __________ mais il est toujours merveilleux!

(dôme / grand / naturelles)

**B Maintenant, choisis une illustration et demande à ton ou ta partenaire de lire la description.**

# Mots croisés

**Lis les définitions suivantes. Relis *Des constructions inspirées de la nature* et trouve le bon mot pour compléter la grille. Ne mets pas d'accents.**

**Horizontalement :**

1. Les tours jumelles Petronas ont 88 de ces espaces.
2. Cet animal aime ronger le bois.
3. Cette construction empêche les rivières de déborder.
4. Cette construction est utile pour traverser une rivière.
5. On trouve ce matériau dans les forêts.
6. C'est la maison des fourmis.
7. C'est un moyen de transport.
8. C'est le matériau utilisé pour construire des fenêtres.

**Verticalement :**

9. La base de l'Opéra de Sydney est faite de ce matériau de construction.
10. C'est un très grand immeuble avec beaucoup d'étages.
11. C'est le centre ________________ où on joue des spectacles.
12. Les visiteurs tiennent ce matériau quand ils traversent le pont suspendu Capilano.
13. C'est un type de métal.
14. C'est un autre mot pour décrire l'entrée du métro.
15. Le barrage Hoover est construit avec du béton et du ________________.

→ LIVRE p. 119

# À ton tour

**A Écoute bien. Écris les mots qui manquent pour compléter le poème. Choisis les mots dans la liste.**

**Mes grandes montagnes russes**

J'invente des montagnes russes,
des montagnes russes ______________________.

Mes ______________________ montagnes russes,
elles ressemblent à de grosses montagnes.

Mes ______________________ montagnes russes,
elles sont fascinantes et ______________________.

Elles tournent, elles plongent, elles volent
comme des oiseaux ______________________.

Mes ______________________ montagnes russes,
elles sont ______________________ et amusantes.

Mes ______________________ montagnes russes,
elles font peur et elles peuvent être ____________________.

Elles soufflent, elles poussent, elles tournent
comme une tempête ______________________.

Mes ______________________ montagnes russes,
elles sont ______________________,
parfaites et ______________________.

Elles sont ______________________ et ______________,
comme la nature autour de nous.

| |
|---|
| belles |
| bonnes |
| extraordinaires |
| fantastiques |
| fortes |
| grandes |
| grosses |
| hautes |
| immenses |
| magnifiques |
| méchantes |
| originales |
| splendides |
| superbes |
| surprenante |

**B Maintenant, sur une feuille de papier, écrivez un poème de 15 à 20 lignes sur une construction imaginaire. Vous devez inclure cinq adjectifs qualificatifs. Vous pouvez utiliser *Mes grandes montagnes russes* comme modèle.**

**C Avec un autre groupe, vérifiez vos poèmes. Ensuite, recopiez vos poèmes au propre.**

→ LIVRE p. 119

# À la tâche

**Le bateau-nuage**

Pour mon projet, je veux construire un bateau. Mon bateau va être un hôtel et une attraction touristique. Je vais le construire sur la mer près d'une plage en Gaspésie. Mon bateau va ressembler à un nuage. Pour fabriquer mon bateau, j'ai besoin de plusieurs matériaux. Le fond du bateau va être en verre. On peut regarder les poissons nager dans la mer. Les côtés et le toit vont être en acier. Je vais mettre de la toile autour du bateau. Le vent va gonfler la toile. Ma construction va ressembler à un vrai nuage. Pour aller à mon hôtel, on va traverser un pont fait de pierres et de coquillages.

**A** **Avec ton ou ta partenaire, pensez à votre projet de construction.**

- **Votre construction doit ressembler à une forme naturelle.**
- **Si vous voulez, choisissez une forme naturelle de la liste à la page 119 du livre.**
- **Sur une feuille de papier, décrivez votre construction en un paragraphe.**
- **Composez des phrases complètes.**
- **Vous pouvez suivre le modèle «Le bateau-nuage.»**

**B**

- **Échangez votre brouillon avec un autre groupe.**
- **Recopiez votre paragraphe au propre ci-dessous.**
- **Vous allez utiliser votre paragraphe pour *La tâche finale* à la page 131 de vos cahiers.**

________________________________________

________________________________________

________________________________________

________________________________________

________________________________________

________________________________________

________________________________________

________________________________________

→ LIVRE p. 120

# Le concours de châteaux de sable

COMPRENDS-TU?

**A** **Trouve un mot de la même famille dans *Le concours de châteaux de sable* aux page 120 et 121 de ton livre.**

**1.** une année ____________________

**2.** la participation ____________________

**3.** talentueux ____________________

**4.** le génie ____________________

**5.** construire ____________________

**6.** l'ambition ____________________

**7.** la planification ____________________

**8.** difficile ____________________

**9.** la précision ____________________

**10.** le matériel ____________________

**B** **Trouve le contraire des mots suivants dans le même texte.**

**EXEMPLE :** laid → beau

**1.** tristes ____________________

**2.** grande ____________________

**3.** de la facilité ____________________

**4.** inexpérience ____________________

**5.** une nuit ____________________

**C** **Relis *Le concours de châteaux de sable.* Réponds aux questions suivantes.**

**1.** Où est-ce que le concours de châteaux de sable a lieu?

____________________

**2.** Quels talents Céline et André veulent-ils montrer?

____________________

**3.** Céline et André veulent faire une réplique de quel édifice?

____________________

**4.** Pourquoi est-ce que Céline et André doivent suivre leur plan?

____________________

**5.** Quel bâtiment veux-tu construire dans un concours de châteaux de sable?

____________________

→ LIVRE p. 121

# Dialogue

**Avec un ou une partenaire, répondez aux questions suivantes. Utilise la bonne forme du verbe entre parenthèses.**

**Exemple :** **A :** I.M. Pei et Moshe Safdie _sont_ (être) des professionnels de quel type?
**B :** I.M. Pei et Moshe Safdie _sont_ (être) des architectes.

1. **A :** Qu'est-ce que ta famille et toi _______________ (aller) voir au Pérou?

   **B :** Ma famille et moi _______________ (aller) voir les pyramides de Tucume.

2. **A :** Qu'est-ce que tes amis Claire et Paolo _______________ (penser) de la tour CN?

   **B :** Claire et Paolo _______________ (trouver) la tour CN formidable!

3. **A :** La brique et la pierre _______________ (être) quoi?

   **B :** La brique et la pierre _______________ (être) des matériaux de construction.

4. **A :** Est-ce que ta famille et toi _______________ (aimer) Habitat '67?

   **B :** Oui! Mon père et ma mère _______________ (vouloir) y louer un appartement.

5. **A :** En quoi est-ce que l'ascenseur et l'escalier _______________ (être) semblables?

   **B :** L'ascenseur et l'escalier _______________ (être) deux façons de monter et descendre.

6. **A :** Est-ce que mon ami et moi _______________ (pouvoir) visiter l'intérieur de la résidence du premier ministre à Ottawa?

   **B :** Non, seulement le premier ministre, sa famille et leurs invités _______________ (avoir) accès à l'intérieur.

7. **A :** Les ponts Akashi et Capilano _______________ (être) des ponts de quel type?

   **B :** Les ponts Akashi et Capilano _______________ (être) des ponts suspendus.

8. **A :** Qu'est-ce que ton ami et toi _______________ (faire) pendant votre voyage à Paris?

   **B :** Mon ami et moi _______________ (visiter) le Centre Georges Pompidou.

9. **A :** Est-ce que l'architecte et l'ingénieur _______________ (travailler) ensemble?

   **B :** Mais oui! L'architecte et l'ingénieur _______________ (vérifier) tous les détails.

10. **A :** Est-ce que ton amie et toi _______________ (aimer) l'architecture?

    **B :** Oui, elle et moi _______________ (étudier) l'architecture à l'université.

# La maison de mes rêves

ÉCOUTONS!

**Maria et Sandro sont sœur et frère. Leurs parents veulent quitter l'appartement où ils habitent pour construire une maison. Maria et Sandro essaient d'aider leurs parents à dessiner le plan de la maison.**

**Écoute leur conversation et complète les phrases avec la bonne forme du verbe *aller*.**

**Maria :** Enfin on _________ habiter dans une vraie maison! Maman et papa _________ faire le plan avec l'architecte.

**Sandro :** _________ trouver quelques suggestions pour aider nos parents à construire la maison idéale!

**Maria :** Bonne idée! D'abord nous _________ choisir les éléments les plus importants. Qu'est-ce qu'on _________ avoir dans notre maison?

**Sandro :** Je ne sais pas. J'aime notre appartement, mais il y a des choses qui manquent. Un jardin, par exemple.

**Maria :** Et un cinéma et une piscine avec des poissons dedans! Mais on doit être plus raisonnable. Ces choses _________ coûter trop cher.

**Sandro :** Tu as raison. Commençons par l'essentiel. On _________ avoir une cuisine, bien sûr.

**Maria :** Oui, une belle cuisine. Papa et toi _________ aimer ça; vous aimez tellement faire la cuisine.

**Sandro :** C'est vrai. Et Maman _________ avoir besoin d'un bureau pour son ordinateur et ses livres.

**Maria :** Moi, je n'aime pas les escaliers, alors toute la maison _________ être sur un seul étage.

**Sandro :** Mais elle _________ prendre tout l'espace du terrain. Nous n'_________ pas avoir assez d'espace pour le jardin.

**Maria :** C'est vrai. Alors, la maison _________ avoir deux étages, une belle cuisine, un bureau et un jardin.

**Sandro :** Et tu _________ avoir une piscine dans le jardin!

**Maria :** Et je _________ avoir des poissons dans la piscine!

# Les règles du concours

**A Écoute bien. Complète les phrases suivantes avec la bonne forme des verbes *vouloir, pouvoir* et *devoir*.**

Si je ________ participer au concours de châteaux de sable, je ________ choisir une construction intéressante. Sinon mon équipe ne ________ pas gagner. Nous sommes deux, mais je ne sais pas si mon partenaire ________ faire la construction que j'ai choisie. Il ________ construire la tour CN, mais si nous ________________ réussir, je pense qu'il ________ m'aider à construire mon projet. Je crois que je ________ encore le persuader que la Grande Muraille de Chine va être plus facile à réaliser. «Sylvain, est-ce que tu ________ remporter ce concours? Oui? Alors, tu ________ m'écouter. Je pense que mon idée est plus originale : nous allons impressionner les juges. Est-ce que tu ________ m'aider à rassembler nos matériaux?»

L'organisateur dit que nous ________________ utiliser des matériaux différents et que nous ________ apporter nos seaux et nos pelles. Il annonce les règles du concours : «Vous ________ commencer à 13 heures et terminer avant 16 heures. N'oubliez pas que vous ________ faire votre construction avec des branches, des coquillages et du papier. Vous ________________ aussi utiliser des algues et des pierres si vous ________. Tous les participants ________________ être à la plage avant midi s'ils ________________ ramasser des matériaux pour leur château. Ils ________________ apporter des ustensiles. Merci.»

**B Lis le texte de la Partie A à voix haute avec un ou une partenaire. Fais attention à l'intonation!**

→ LIVRE p. 123

# À ton tour

**A  Écoute bien. Remplis les fiches biographiques de Céline et d'André.**

**Nom :** Céline ______________________

Âge : ______________

Style préféré : ______________________

Inspiration : ______________________

Types de constructions qu'elle veut faire :

______________________

______________________

Matériaux de construction favoris :

______________________

______________________

Plans d'avenir (ambition) : ____________

______________________

**Nom :** André ______________________

Âge : ______________

Style préféré : ______________________

Inspiration : ______________________

Types de constructions qu'il veut faire :

______________________

______________________

Matériaux de construction favoris :

______________________

______________________

Plans d'avenir (ambition) : ____________

______________________

**B  Remplis une fiche biographique avec tes informations.**

**Nom :** ______________________

Âge : ______________

Style préféré : ______________________

Inspiration : ______________________

Types de constructions que tu veux faire :

______________________

______________________

Matériaux de construction favoris :

______________________

______________________

Plans d'avenir (ambition) : ____________

______________________

→ LIVRE p. 123

# La tâche finale

1. Avec ton ou ta partenaire, sur une grande feuille de papier, faites le dessin de votre construction.

2. **a)** Identifiez les sections de votre construction sur votre dessin.

   ______________________ ______________________

   ______________________ ______________________

   ______________________ ______________________

   **b)** Vérifiez le vocabulaire. Corrigez les fautes. Vous pouvez utiliser un dictionnaire.

3. Préparez vos notes pour la présentation orale de votre projet. Vous pouvez utiliser les pages 119 et 125, et vos fiches biographiques à la page 130 de vos cahiers.

   **a)** Votre présentation doit inclure ces informations :

   - Où trouvez-vous votre inspiration?

     ______________________________________________

   - Pourquoi choisissez-vous cette construction?

     ______________________________________________

   **b)** Présentez ces informations au futur proche :

   - Où est-ce que vous allez faire votre construction?

     ______________________________________________

   - Quelle fonction est-ce que votre construction va avoir? quelles dimensions?

     ______________________________________________

   - Quel style de construction est-ce que vous allez faire?

     ______________________________________________

4. Sur une feuille de papier, écrivez le brouillon de votre présentation, de 15 à 20 phrases. Écrivez au moins cinq phrases au futur proche.

5. Révisez votre présentation. Faites des corrections ou des changements, si c'est nécessaire.

6. Écrivez votre copie finale.

7. Présentez votre construction à la classe avec votre dessin.

# Mon auto-évaluation

**A** **Maintenant, je réussis à...**

| | avec difficulté | avec peu de difficulté | assez bien | très bien |
|---|---|---|---|---|
| parler de constructions et de l'inspiration des architectes. | ☐ | ☐ | ☐ | ☐ |
| identifier plusieurs constructions. | ☐ | ☐ | ☐ | ☐ |
| compter de zéro à mille. | ☐ | ☐ | ☐ | ☐ |
| utiliser les adjectifs démonstratifs *ce, cet, cette,* et *ces*. | ☐ | ☐ | ☐ | ☐ |
| utiliser des adjectifs qualificatifs irréguliers. | ☐ | ☐ | ☐ | ☐ |
| utiliser des adjectifs qualificatifs placés avant le nom. | ☐ | ☐ | ☐ | ☐ |
| utiliser le futur proche et les verbes *vouloir*, *pouvoir* et *devoir*. | ☐ | ☐ | ☐ | ☐ |
| créer un projet de construction, à le dessiner et à le présenter. | ☐ | ☐ | ☐ | ☐ |

**B** **1. Dans cette unité, j'ai beaucoup aimé...**

______________________________

______________________________

**2. Dans cette unité, je n'ai pas aimé...**

______________________________

______________________________

# L'inversion, s'il te plaît

**Trouve le verbe à l'infinitif dans les lettres mélangées. b) Complète les phrases avec la forme correcte du verbe au présent. c) Ensuite, utilise l'inversion pour écrire une question.**

**EXEMPLE :** a) (TISREIUL) UTILISER b) Tu utilises des écouteurs au cinéma.
c) Utilises-tu des écouteurs au cinéma?

**1. a)** (RINIF) ____________ **b)** Vous ____________ votre travail.
**c)** ______________________________________________?

**2. a)** (RBAQEURIF) ____________ **b)** Il ____________ une prothèse.
**c)** ______________________________________________?

**3. a)** (TTADEERN) ____________ **b)** Nous ____________ nos amis.
**c)** ______________________________________________?

**4. a)** (ITRARP) ____________ **b)** Tu ____________ de la maison à midi.
**c)** ______________________________________________?

**5. a)** (NEVDER) ____________ **b)** Vous ____________ des disques compact.
**c)** ______________________________________________?

**6. a)** (ARPCITIEPR) ____________ **b)** Elle ____________ à toutes sortes d'activités.
**c)** ______________________________________________?

**7. a)** (DRENREP) ____________ **b)** Il ____________ l'autobus.
**c)** ______________________________________________?

**8. a)** (LAREL) ____________ **b)** Tu ________ au cinéma.
**c)** ______________________________________________?

**9. a)** (EFARI) ____________ **b)** On ____________ de la recherche.
**c)** ______________________________________________?

**10. a)** (HSOCIRI) ____________ **b)** La cliente ____________ les détails.
**c)** ______________________________________________?



 

# Les questions

**A** **Récris les questions suivantes avec *est-ce que* ou *est-ce qu'*.**

**1.** Peut-on demander un écouteur?

______________________________

**2.** Allons-nous acheter des vêtements?

______________________________

**3.** Communiquent-elles par téléphone?

______________________________

**4.** Regarde-t-il le film ce soir?

______________________________

**5.** L'appareil annonce-t-il la couleur?

______________________________

**B** **Récris ces questions. Utilise l'inversion.**

**1.** Est-ce que tu travailles comme médecin?

______________________________

**2.** Est-ce qu'elle sort cet après-midi?

______________________________

**3.** Est-ce que vous faites du sport?

______________________________

**4.** Est-ce que la technicienne parle au client?

______________________________

**5.** Est-ce que tes amis profitent d'Internet?

______________________________

# Perdu(e) dans la ville

**Examine le plan suivant et fais les activités à la page 136 du cahier.**

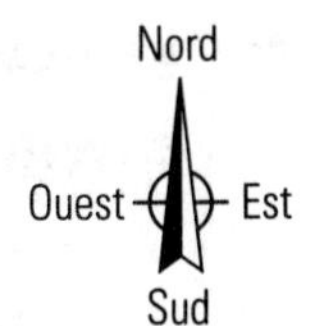


rue MacDonald

**la bibliothèque**

**la pharmacie**

**le supermarché**

**le bureau de poste**

**l'animalerie Minou**

**la clinique vétérinaire**

avenue Laurier

**le restaurant**

boulevard St-Georges

avenue Wolfe

avenue Montcalm

**la chocolaterie**

**le centre d'achats**

rue Mont-Royal

boulevard Jean Talon

**l'école Tremblay**

rue Beauregard

rue Jeanne d'Arc

**le centre communautaire**

**l'hôpital**

**l'hôtel Bellevue**

boulevard Bellevue

**la piscine municipale**

**le parc Frontenac**

**la boulangerie**

**l'école Broussard**

avenue de la Victoire

**l'aréna**

# Quelle contraction?

**A** **Écris chaque endroit de la ville à la page 135 du cahier dans la bonne catégorie. Attention aux contractions.**

| **au** (ou **du**) bureau de poste | **à la** (ou **de la**) bibliothèque | **à l'** (ou **de l'**) école Tremblay |
|---|---|---|
| ______ | ______ | ______ |
| ______ | ______ | ______ |
| ______ | ______ | ______ |
| ______ | ______ | ______ |
| ______ | ______ | ______ |

**B** **Écoute les instructions et regarde le plan de la ville. Réponds aux questions.**

1. Où es-tu? ______
2. Où sommes-nous? ______
3. Où êtes-vous? ______
4. Où es-tu? ______
5. Où es-tu? ______

**C** **À l'oral, donne des instructions à ton ou ta partenaire. Il ou elle va tracer le chemin sur le plan à la page 135 du cahier.**

**EXEMPLE :** Comment est-ce que tu vas du parc Frontenac à la pharmacie?
«Pars du parc. Marche vers le nord sur le boulevard St-Georges. Tourne à droite sur la rue MacDonald. Continue vers l'est. Traverse l'avenue Wolfe. La pharmacie est à la droite.»

1. Comment est-ce que tu vas de la bibliothèque à l'école Tremblay?
2. Comment est-ce que nous allons du centre d'achats à la piscine municipale?
3. Comment est-ce que vous allez du restaurant à l'hôpital?
4. Comment est-ce que vous allez de la clinique véterinaire au centre communautaire?
5. Comment est-ce que tu vas de la bibliothèque à l'aréna?

 

# Partir ou sortir?

**A** **Choisis le bon verbe : *partir* ou *sortir*. Complète les phrases suivantes avec la bonne forme du verbe.**

**EXEMPLE :** Je _sors_ de la grotte.

**1.** Paul ____________ de la maison à 7 h 30 du matin pour prendre l'autobus de 7 h 35.

**2.** La famille Leclerc ______________ en vacances aujourd'hui.

**3.** Jonathan et Kendra ______________ ce soir.

**4.** ____________-vous de bonne heure pour votre cours de musique?

**5.** Je ____________ pour la France dans deux semaines.

**6.** À quelle heure __________-tu pour l'école?

**7.** Ils ____________________ dans une heure pour le cinéma.

**8.** Est-ce que tu __________ avec Marc ce soir?

**9.** ____________________-vous ensemble pour aller chez Marcelle?

**10.** Nous ____________________ de la voiture.

**B** **Avec un ou une partenaire, lisez les dialogues à voix haute. Ensuite, refaites les dialogues avec les sujets *vous* et *nous* et une troisième fois avec *ils*. Faites tous les changements nécessaires.**

**Julie :** Tu pars en vacances?
**Tom :** Oui, je pars demain.
**Julie :** Tu pars à quelle heure?
**Tom :** Je pars à 10 heures.

**Madhu :** Est-ce que tu sors ce soir?
**Jean :** Non. Je ne sors pas. Je reste à la maison.
**Madhu :** Mais tu vas sortir demain, n'est-ce pas?
**Jean :** Oui, je veux sortir pour aller voir le nouveau film.

# Des sujets pluriels

**A Relie les deux colonnes pour former des phrases complètes. Récris les phrases.**

| | |
|---|---|
| Mes amis et moi | visitent une grotte. |
| Paul et Thomas | allons faire du ski. |
| Toi et tes amis | partons de la Salle des lemming d'Ungava. |
| Ma sœur et moi | partent en expédition. |
| Stéphanie et Annick | rentrez chez vous. |
| Vous et moi | aimons écouter les rythmes. |

**EXEMPLE :** Vous et moi allons faire du ski.

**1.** ______________________________

**2.** ______________________________

**3.** ______________________________

**4.** ______________________________

**5.** ______________________________

**B Réponds aux questions suivantes en phrases complètes.**

**EXEMPLE :** Est-ce que mes amis et moi parlons à la guide?
Non, vous ne parlez pas à la guide.

**1.** Est-ce que toi et Paul partez ce matin?
Oui, ______________________________.

**2.** Est-ce que la guide et les élèves explorent la grotte?
Oui, ______________________________.

**3.** Est-ce que les stalactites et les stalagmites sont belles?
Oui, ______________________________.

**4.** Mes amis et moi regardons la chauve-souris?
Non, ______________________________.

**5.** Toi et ton frère sortez de cette salle?
Non, ______________________________.

 

# Sujets et verbes

**A Réponds aux questions suivantes en phrases complètes. Utilise les pronoms ou les noms donnés.**

1. Qui entre dans la grotte? (Paul et moi)

   ______________________________________________

2. Qui sort du puits? (Christophe et Pauline)

   ______________________________________________

3. Qui part après la visite? (Toi et moi)

   ______________________________________________

4. Qui habite ici? (Sarah et toi)

   ______________________________________________

5. Qui parle avec le groupe? (Paul, Victor, et moi)

   ______________________________________________

**B Trouve le verbe à l'infinitif dans les lettres mélangées (a). Complète les phrases avec la bonne forme du verbe au présent (b).**

**EXEMPLE :** a) (RIINF) FINIR b) Marc et moi finissons nos devoirs.

1. **a)** (RTOIRS) ____________ **b)** Jacques et Julie ____________ ce soir.
2. **a)** (ATIRPR) ____________ **b)** Toi et moi ____________ en vacances.
3. **a)** (TDÉUIRE) ____________ **b)** Mes amis et moi ____________ pour le test.
4. **a)** (NMAERG) ____________ **b)** Est-ce que toi et Rémy ____________ ensemble à la cafétéria?
5. **a)** (VAAEIRTLLR) ____________ **b)** Les garçons et les filles ____________ à l'ordinateur.

**C Avec un ou une partenaire, lisez le dialogue à voix haute. Ensuite, refaites le dialogue avec les sujets *Les garçons et les filles* et *Annie, Zoë et Zena*.**

**Lise :** Daniel et toi mangez de la pizza?

**Luc :** Oui, Daniel et moi mangeons ensemble tous les vendredis.

**Lise :** Qu'est-ce que vous faites ce soir?

**Luc :** Nous jouons aux jeux vidéo.

# Mots croisés

**Complète les mots croisés suivants. Écris les bons mots pour les nombres donnés.**

**EXEMPLE :** 16 seize

**Horizontalement :**

**1.** 50
**2.** 512
**3.** 8
**4.** 96
**5.** 36
**6.** 7
**7.** 6
**8.** 3
**9.** 13
**10.** 200
**11.** 4
**12.** 17
**13.** 83
**14.** 49
**15.** 9
**16.** 78
**17.** 304
**18.** 11
**19.** 900
**20.** 980

**Verticalement :**

**1.** 40
**2.** 15
**3.** 20
**4.** 18
**5.** 260
**6.** 2
**7.** 1 000
**8.** 21
**9.** 14
**10.** 64
**11.** 60
**12.** 640
**13.** 212
**14.** 71
**15.** 100
**16.** 105
**17.** 30
**18.** 10
**19.** 5
**20.** 1

# Les mathématiques

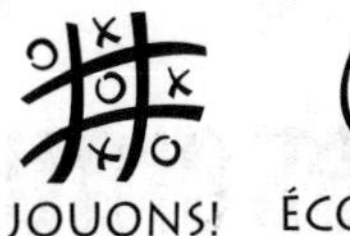


**A** **Résouds tous les problèmes et réponds à toutes les questions.**

A. 17,09 $ + 32,91 $ – 10,00 $ = ____________

B. Le nombre de semaines dans une année = ____________

C. Le nombre d'oeufs dans une douzaine = ____________

D. Le premier nombre pair = ____________

E. La surface d'un rectangle de 6 m × 4 m = ____________

F. 494 – 404 = ____________

G. Quand on a tout réussi, on a ______% ____________

H. 4 × 4 × 6 = ____________

I. 100 – 80 + 71 = ____________

J. 303 – 202 – 100 = ____________

K. Le nombre de jours dans une semaine = ____________

L. Douze douzaines = ____________

M. Le nombre de côtés d'un octogone = ____________

N. (34 + 116) divisé par 2 – 30 = ____________

O. Le nombre de mois d'école = ____________

P. (326 + 18) divisé par 2 = ____________

**B** **Écoute les nombres enregistrés. Écris-les en ordre.**

1 2 __ __ __ __ __ __ __ __ __ __ __ __ __ __

**C** **Écris la lettre qui correspond à la bonne question.**

J D __ __ __ __ __ __ __ __ __ __ __ __ __ __

**D** **Lis toutes les lettres de gauche à droite dans la Partie C et un seul mot de cinq lettres va apparaître.**

**Mot-mystère :**

__ __ __ __ __

# Chasse aux indices

**Retourne dans ton livre pour trouver les mots-indices.**

**A.**

1. Écris la réponse à la devinette de la page 124 du livre. _ _ _ _ _ ◯[19] _ _
2. Quel est le titre de cette page?
   _ _ _ _ _ _ _ _ _ _ _ _ _ _ _ : _'_ _ _ ◯[17] _ _ _ _ _ _
3. Quel type de chaussures est-ce qu'il y a sur cette page?
   _ _ _ _ _ _ _ _ _ _ _ _ _ _ _ ◯[16] de _ _ _ _ _ _
4. Refais cette question avec l'inversion :
   Est-ce que vous parlez au client? _ _ _ _ ◯[24] _-_ _ _ _ _ _ _ _ ◯[11] _ _ _ _ _ _?

**B.**

1. Écris la réponse à la devinette de la page 125 du livre. _ _ _ _ _ _ ◯[5] _
2. Quels sont les deux premiers mots du titre de cette page?
   _ _ _ _ _ _ _ _ _ _ _ _ _ _ _ _ _ _ _
3. Refais cette phrase avec le mot entre parenthèses :
   Je fais de la natation. (ski) _ _ _ _ _ _ ◯[3] _ _ _ _ _ _.

**C.**

1. Écris la réponse à la devinette de la page 126 du livre. _ _ _ ◯[9] _ _ _ _ _ _ _
2. Quel est le titre de cette page?
   _ _ _ _ _ _ _ _ _ _ _ ◯[18] _ _ _ _ _ _ _ _ _ _ _ _ _ _ _ _
3. Qu'est-ce qu'on dit avant de partir à l'aventure?
   _ _ _ _ _ _ _ _ _ _ _'_ _ _ _ ◯[8] _ _ _ _ _!

**D.**

1. Écris la réponse à la devinette de la page 127 du livre
   ◯[7] _ _ _ _ _ _ _ _ _ ◯[10] _ _ _ _ _ _ _ _
2. Quel est le titre de la section à côté de la photo de cet animal dans une page «Comment ça marche?»? _'_ _ _ _ _ _ _ _ _ _ _ ◯[20] _ ◯[22] _
3. Toi et tes ami(e)s = _ _ _ _ _

**E.**

1. Écris la réponse à la devinette de la page 128 du livre. _ _ _ _ _ ◯[2]
2. Quel est le titre de la section en bas de la page?
   _ _ _ _ _ _ _ _ ◯[23] _ _ _ _ _ _ _ _ _ _ _
3. 2 888 – 1488 (écris la réponse en mots) = ◯[21] _ _ _ _ _ _ _ ◯[13] _ _ _ _ _ _ _ ◯

**Message-mystère :**

| P | _ | _ | _ | _ | z | _ | _ | _ | _ | _ | é | _ | é. | À | _ | _ | _ | _ | _ | _ | _ | _ | _! |
|---|---|---|---|---|---|---|---|---|---|---|---|---|---|---|---|---|---|---|---|---|---|---|---|
| 1 | 2 | 3 | 4 | 5 | 6 | 7 | 8 | 9 | 10 | 11 | 12 | 13 | 14 | 15 | 16 | 17 | 18 | 19 | 20 | 21 | 22 | 23 | 24 |